Luciana Littizzetto

MADAMA SBATTERFLAY

MONDADORI

Dello stesso autore
nella collezione Biblioteca Umoristica Mondadori

Sola come un gambo di sedano
La principessa sul pisello
Col cavolo
Rivergination
La jolanda furiosa
I dolori del giovane walter

Madama Sbatterflay
di Luciana Littizzetto
Collezione Biblioteca Umoristica Mondadori

ISBN 978-88-04-62400-4

I edizione novembre 2012

Indice

Madama Sbatterflay

Il garbo è tutto.
CAROL RAMA

Cinquanta sfumature di maron

L'avete letta la trilogia delle sfumature? Sì, ciao. Mi sa che voi ne sapete di sesso estremo come io di motonautica... Lo sapete che sono usciti 'sti tre libri porno-harmony, *Cinquanta sfumature di grigio*, *Cinquanta sfumature di nero* e poi *Cinquanta sfumature di rosso* che parlano di sesso sadomaso. Voi avete mai fatto sesso estremo? Figurati! Il vostro lui, al massimo, è cascato dal letto mentre cercava di levarsi le mutande. Se lo vedi con la frusta in mano è perché sta facendo la maionese, l'unica cosa che ha legato con la corda in vita sua è stato un arrosto e se deve scegliere fra bondage e Buondì Motta, sceglie il Buondì Motta. Un attimo e lo vedi con la bocca piena...

Comunque, in questi tre libri si racconta la storia di Christian Grey, uno ricchissimo e fighissimo, che si innamora di Anastasia Steele, una poverissima ma bellissima. Lui fa il dominatore e lei la sottomessa. E le fa vedere i sorci multicolor. La frusta, la sculaccia, la appende come una salama in cantina, la rivolta come il sacco dell'aspirapolvere, la martella come un pentolino di rame, la trita, la spezza – praticamente è un mulinex – e lei gode come una salamandra.

E alle donne è piaciuto tantissimo. Perché le donne, soprattutto quelle regular, le madamine perbenino, le fichesecche, sotto sotto sognano un marito che le ribalti. Che gli faccia vedere il sole di mezzanotte e lo stoccafisso di mezzogiorno. Invece stanno con delle meduse che fanno l'amore una volta a equinozio. Ectoplasmi che dopo le nove di sera prendono la forma del divano e lì rimangono fino alle due di notte, fino a quando tu, per pietà, li tiri per i piedi e te li scatafratti nel letto. Altro che Mr Grey. Lumaconi, che se gli dici: "Fammi vedere le stelle", ti rispondono: "Eh, bisognerebbe andare in montagna, qui c'è la nebbia...". Se il maschio nostrano ti molla una sberla sul culo è perché ci si è posata sopra una zanzara. Chiaro che se stai con uno così e poi leggi di questo qui che un po' ti corca e un po' ti regala diamanti, ti dici: "Perché no?". Guardi il tuo lui che russa col telecomando ancora in mano, che fra un po' glielo omologano come protesi, e pensi: "Ma io quattro tirate di capelli me le prendo volentieri...".

La cosa sorprendente di questi libri è che nonostante Cri e Ana ne facciano più di Maria Schneider in *Ultimo tango a Parigi* il linguaggio è pulitissimo. Non dicono mai "culo". Per dire. Mica come me. Eppure con quell'attrezzo lì ci lavorano per milleduecento pagine. Parlano come Monti e la Fornero. Lui la chiama "piccola" e poi fa delle robe che neanche Madame Brutal. Ma se uno fa delle robe così a letto, parla male. Non dice: "Tesoro, levati le mutandine che ti frusto". Casomai le dice: "Vieni qua, brutta maiala, che ti apro in due come una quaglia, vacca di Pragelato".

Il bello è che lui è pure violento e aggressivo, uno da denunciare per stalking, tant'è che io, alla fine, speravo che almeno morisse, che crepasse tra atroci sofferenze, che si schiantasse con quel cacchio di aereo privato o che gli si seccasse il walter e gli cadesse in autunno insieme alle castagne d'India. Oppure che lei, stufa delle stirubacule cambiasse parrocchia e si facesse suora come Lola Falana. Per dire. O andasse in vacanza con Bindi e Bondi. Invece no, finisce che si sposano e fanno due figli. E continuano a saltare sulla materassa come nelle prime pagine. Ma non è credibile! Dopo due figli, le mogli, se solo ti avvicini dopo una giornata di sbattimento scuola-casa-compiti e capufficio con le paturnie, ti prendono a padellate con la pentola antiaderente così non si vedono i segni. Se gli metti una mano sulla coscia, loro ti soffiano come il Tyrannosaurus Rex di *Jurassic Park*... ffftt. Speriamo solo che non ci sia il sequel. Perché dopo il matrimonio e due figli, le cinquanta sfumature potrebbero solo essere di maron.

Il bell'addormentato nei boxer

Gira che ti rigira, amore bello, mi tocca parlare sempre del walter sifulo. Del bell'addormentato nelle mutande. Della no-fly-zone. Del basta-scuse-punto-it. Ricordo uno spot, per altro fatto anche bene, che invitava i maschi con problemi di sollevamento attrezzo a farsi visitare. Mi riferisco alla pubblicità in cui si vede un lui che sta sveglio di notte a pensare come mai non gli funziona l'arnese e intanto lei se la dorme beata essendosene fatta prestissimo una ragione. Quella dove, fra le varie ipotesi – la cena pesante, il film dell'orrore –, lui dà la colpa persino al cane.

Allora, lo dico subito: cani e gatti al tuo ciupa dance non sono interessati. Certo, se lo fai dopo esserti cosparso di Ciappi è un altro discorso. Se ti nascondi l'osso di gomma nel reggiseno, Bobi magari arriva a snasare... ma lì te la sei cercata. Comunque, dicevo, parliamo dell'eterno problema mascolino legato al suo tubo dell'amore. Al suo Cupido dalla freccia morbida. Alla sua Anitra WC dal collo storto. I maschi ce l'hanno, questa paura che le turbine restino ferme. Secondo me è uno dei motivi di rivalità fra maschio e femmina. Perché noi donne abbiamo ben due vantaggi rispetto al nostro Ubu re.

Uno: non abbiamo niente che debba stare in tiro per funzionare, anzi, la nostra jole è stanziale. È una "bogia nen", dove la metti sta. Cozza sembra e cozza resta, non è che diventa un cavalluccio marino. Si dice che il walter non voglia pensieri, noi, invece, possiamo anche ripassare a memoria *La vispa Teresa* e andare dritte per la nostra strada portando a casa il risultato. Noi, carino, possiamo fare l'amore in automatico così come ci mettiamo il rossetto mentre guidiamo nei tornanti.

Due: i maschi, sbrigata la pratica, hanno bisogno della pausa di riflessione, come Veronesi sul nucleare. Noi, fisiologicamente, siamo in funzione ventiquattr'ore su ventiquattro come i distributori di benzina.

Vorrei rassicurarvi, miei cari. Una volta escluse tutte le varie patologie per cui il walter si rifiuta di passare dallo stato liquido a quello solido, se qualche volta non vi si allunga il cannocchiale, se lo squalo resta sardina, se il bruco non prende il volo come farfalla, sappiate che noi ce ne facciamo una ragione; il più delle volte siamo così stanche che è quasi una benedizione. Continuiamo a considerarvi comunque una sottospecie, ma con immutato affetto.

Lo dico soprattutto ai ragazzi giovani, che si bombano di Viagra a vent'anni: datevi pace! Non è mica una gara, non vi si chiede mica una prestazione eccezionale. Col Viagra rischiate che vi parta in cielo come un missile a tre stadi! Che vi si crepi come il melograno quando è maturo! A noi femmine non piace fare l'amore con un martello pneumatico, preferiamo di gran lunga un trapano a basso voltaggio – guarda cosa arrivo a dirvi –, un avvitatore a batterie, toh, il grill del forno a microonde, quindi rilassatevi e godetevela, con calma. Dovesse poi succedere il patatrac e vi toccasse trovare una scusa, buttatela sul ridere. Fa bene a voi e fa bene a noi. Per esempio, potete dirle: "Hai visto che Rio Mare? È così tenero che si taglia con un grissino". Oppure: "Tranquilla. Funziona benissimo anche così. Basta avere l'accortezza di usare l'imbuto".

Quel che conta è il ripieno

Questa volta me la tiro, uff se me la tiro. Ne ho ben donde. Per via del sondaggio, ovvio. Vi spiego: hanno intervistato un campione di duemilacinquecento maschi a cui hanno rivolto la seguente domanda: "Con quale delle donne della tivù andresti volentieri a cena?". E il quarantatré per cento dei maschi ha risposto che sceglierebbe me. Dopo di me la Hunziker, col ventuno per cento, e a seguire Ilary Blasi.

Quando l'ho detto al mio boy, lui ha fatto la faccia della mosca schiacciata dal ciapamusche. Il quarantatré per cento, capite?! "Ommi povra dona" ha commentato mia madre. Quasi un uomo su due perde le bave per me, come quando esce dal dentista ancora sotto anestesia. Sono la nuova Lady Gagona. I maschi fanno la fila, devo dargli il numerino come in gastronomia e io non me ne sono mai accorta. Forse frequento solo uomini che appartengono all'altro cinquantasette per cento, quelli che mi trattano come se fossi una scoria di Fukushima.

Che poi, se un uomo mi porta a cena, gli faccio fare sempre bella figura. Intanto, quando rutto, metto la mano a trombetta davanti alla bocca, prot. I gamberi, che son difficili da sgusciare, li mando giù interi, non prendo in mano banane in pubblico perché non sta bene, non soffio con la cannuccia nel bicchiere per fare le bolle, non faccio fare su e giù ai bucatini dalla bocca come se fosse un ascensore. Bevo il caffè col mignolo alzato e soprattutto non bevo dal portafiori. Ti sembra poco?

Invece, voi maschi, cercate tanto di fare i fighi e di sembrare educati, ma si vede che di solito tuffate la faccia direttamente nel trogolo. E noi balenghe ci caschiamo sempre: "No, dài, questo è quello giusto, mangia la bistecca con forchetta e coltello, non la sbrana con le fauci come faceva Hannibal Lecter col naso della guardia giurata". Appena commettiamo l'errore capitale, lo sbaglio imperdonabile di darvela, tempo mezzo minuto siete già lì a fare il rutto libero in canottiera, già pronti a salutare gli amici col pernacchio sotto l'ascella. Da capitani coraggiosi ad animali da cortile.

E comunque, tornando a me, io sono qui a fare Cenerentola con la fila fuori di principi azzurri, ma mica perché sono figa. Le fighe sono fatte diversamente. Le gambe, per esempio: io le ho corte, dritte e senza muscoli come quelle dei tavolini dei bar. Adesso, quasi quasi, mi faccio un tatuaggio. Sulla coscia. Blu. A forma di vena varicosa, così mi porto avanti col lavoro. Gli uomini vogliono venire a cena con me perché li faccio ridere, quelle tanto gnocche, alla fine, sono noiose.

Diciamolo, ragazze, l'importante è il ripieno, mica la confezione. Spesso certe donne, viste da fuori, sono come una cattedrale, tutta torrette, anfratti e cupole, e gli uomini non vedono l'ora di entrarci. Poi, una volta dentro: il deserto, c'è solo l'eco. Rimbomba tutto. Due minuti e sono fuori. Fine della visita. Conta il ripieno, amiche. Guardate anche i tortellini: da fuori sembrano ombelichi storti, ma dentro c'hanno il ripieno, la polpa, ed è quello che fa godere.

Tra l'altro, già che ci sono, vorrei dichiarare pubblicamente che non mi sono rifatta le tette. No, lo dico per mia figlia, che un giorno mi è arrivata a casa disperata perché tutti le chiedevano: "Ma tua madre si è rifatta le tette?". La risposta è no. Sono nature. Sono farina del mio sacco. O meglio, sacche della mia farina. Non sono in prestito, non le ho prese in leasing, non le ho ordinate in clinica. Ma scusa, ce la potrò avere una roba figa anch'io? O deve succedere solo alle altre? E poi, del maiale non si butta via niente e di me si deve buttar via tutto? Se c'ho una roba figa non deve essere mia? Avrò diritto anch'io a un balcone sull'Europa, no? Abbiate pazienza, quando me le rifaccio che son sempre impegnata? Non è che ci metto il lievito Bertolini e mi si gonfiano nella notte. O che passo dal gommista prima di andare in onda...

C'è un metodo infallibile per distinguere un seno vero da uno tarocco. Tetta fredda, tetta rifatta, tetta tiepida è naturale, tetta calda hai la febbre alta. Poi, di profilo. Se resta troppo su è finta, se resta giusta è vera, se cala verso il basso, dispiace.

Bobby Solo non è più solo

Bobby Solo diventa papà. In effetti è un po' giovane, è ancora un ragazzino. Poteva aspettare un po' e invece... Sapete quanti anni ha? Vi dico solo che Bobby Solo ha sessantasette anni. E c'ha un walter che fa scintille come l'asta del tram quando si stacca dal cavo. Gli parte come un fulmine di Voldemort... sarà mica un walter tardivo? Che matura quando ormai è inverno? Ma Bobby non poteva andare a giocare a bocce come fanno tutti i suoi coetanei? Voglio dire, c'è una differenza d'età piuttosto marcata tra lui e il pupo, smette di far pipì a letto uno e comincia l'altro.

E poi così finiscono le certezze, scusa. Ti chiami Bobby Solo? E allora te ne stai da solo. Non andare ad accoppiarti in giro! Sapete come vuole chiamarlo? Elvis. No, ma capite? Dobbiamo fermarlo prima che sia troppo tardi. Raccogliamo delle firme. Facciamo una petizione. Capace che gli fa la banana appena esce dalla sala parto.

No, perché, se si diffonde 'sta moda, è un attimo che parta la scheggia a Little Tony e a Peppino di Capri, tempo due giorni e vogliono diventare padri anche i Dik Dik... Io dico: fosse stato Gianni Morandi, l'eterno ragazzo, ci stava. Califano, l'eterno mandrillo, pure. Ma Bobby no. Persino Al Bano Carrisi s'è dato una calmata, sono dieci anni che non insemina più. Ormai lì a Cellino lo tengono tranquillamente allo stato brado, le donne si possono avvicinare, dargli da mangiare...

Com'è che a Bobby gli è partito a razzo? Certo che voi uomini non vi date pace mai. Noi, a una certa età, per questioni biologiche, chiudiamo la gelateria. Voi invece no. Aprite, piuttosto, ogni tanto, dei temporary shop. Noi chiudiamo l'attività e diamo indietro la licenza, voi no. E poi, mai che vi accompagniate con una befana. Sempre squinzie giovani. Se lo facciamo noi, siamo delle mostre. Delle vampire assetate di sangue giovane. Voi vi mettete il cache-col, il jeans consumato sul pacco, il Ray-Ban alla Venditti e va tutto bene. E poi vi tingete i capelli. Vogliamo parlare dei maschi che si tingono? Guarda, solo a pensarci mi viene la congiuntivite. Non è tanto il tingersi in sé che, va be', se uno si fa schifo grigio, che cosa vuoi mai dirgli, ma è che le tinte maschili sono sempre orride. Sono sempre colori che non esistono in natura. Smalti da carrozzeria.

Per le donne è diverso. A parte la Brambilla, che è color nespola. La Brambilla è color scoppio da cartone animato, arancione. I maschi no. I maschi hanno quei neri mantello di Zorro, biondo vimini, mogano cruscotto della Jaguar. Voglio dire, se anche uno vuole i capelli castani, non è che li deve avere color castagna compatta, tipo Ennio Doris. Quello che la banca gira intorno a noi. Eh, però i parrucchieri che girano intorno a te, Ennio mio, non combinano niente di buono. Con 'sto castano castoro che persino il castoro, se ti vede, ti dice: "Minchia, esagerato!". Ma com'è che le donne riescono ad avere tinte naturali e i maschi sembrano colorati col trattopen? Che poi il problema principale delle tinte da maschio è che manca il sotto. Un conto è la testa, un conto è... No, perché poi devi essere raccordato, devi fare la parure, il completo, se no sei ridicolo. Se no, sopra sei color Amaretto di Saronno e sotto, quando ti levi le mutande, la barba di Babbo Natale. Sopra parquet e sotto meringata.

Il pacco in bagno

Non c'è fine alla follia. Pare che Victoria Beckham abbia appeso nel suo bagno le foto di suo marito... in mutande. Anch'io appenderei volentieri il mio. Ma non le foto, proprio lui in persona. Dicevo, la Vittoriona ha pubblicato la foto del suo bagno: in effetti si vedono il lavandino, lo specchio e le foto di Davidone con il suo gran cadeau.

Per carità, uno nel proprio bagno può metterci chi gli pare, ci mancherebbe, ma posso dire una cosa a Vicky? Non ti strema l'anima averlo tutti i momenti tra i piedi? Persino quando fai pipì, che è uno dei pochi momenti di dignitosa solitudine che ci restano? Invece lei se lo mette come sfondo sul telefonino, come desktop del computer e adesso se lo appende pure nel bagno! Oltretutto, nemmeno foto vere, scattate durante le vacanze, per dire... No, quelle della pubblicità della serie comunemente denominata "Il pacco di David". Anzi, se posso, la ribattezzerei "David e Golia", per via della sproporzione fra l'essere umano e il gigante nascosto nelle sue mutande. Ma lo sai che Davidone ha una roba così pesante che il poster hanno dovuto appenderlo con un tassello?

Vittoria, senti, tu sei la regolare fruitrice di quel bendidio. La sua naturale destinataria. L'avente diritto. Colei che può spacchettarselo a piacere ogni volta che vuole. Ok, hai un marito figo perso, beatissima te, ma a far così non rischi l'assuefazione? Non ce l'hai una cartolina con i girasoli di Van Gogh? E mettici quella in bagno, almeno vedi qualcosa di nuovo. Oppure, se c'hai proprio quella fissa lì, un bel poster di Bolt, che almeno cambi la tinta delle tartacule. Oppure la copertina di "Vanity Fair", quella con la foto di Biagio Antonacci nudo. Ve la ricordate?

Pelato come un lombrico, solo con un LP a coprirgli il walter. Non un CD, un 33 giri. Se pensi che ad alcuni basterebbe un bottone... Dice che alla soglia dei cinquant'anni si sente finalmente libero di fare qualcosa che la gente da lui non si aspetta. Ma io dico, guarda, Biagio che avevi anche altre opzioni. Per esempio, potevi affittare un TIR, andare a Napoli e portarti via qualche tonnellata di spazzatura. Per dire. Oppure, che so, tuffarti in una piscina di pastiglie Valda, stabilire il record di maggior numero di aghi di pino mangiati in dieci minuti. Tante, tante cose potevi fare per sentirti libero, non era necessario piantarti nudo e a gambe larghe sulla copertina di "Vanity Fair".

Poi, non so se avete notato, ma quelli che si fanno fotografare nudi sono sempre unti... ma perché? Li devi mica friggere... Te li devi portare a letto, che, oltretutto, uno così vuncio ti fa subito l'alone sulle lenzuola. Cosa te ne fai? Prima di coricarti lo impani?

Comunque, l'uomo che si spoglia davanti alla donna rimane da sempre uno spettacolo della natura, è come vedere un gatto cadere nella tazza del cesso: fa ridere e tenerezza insieme.

Insomma: finché c'è da levarsi camicia o T-shirt, se la cavano tutti. Certo, sembra che nuotino nella polenta, ma ne vengono a capo senza infamia, e soprattutto senza lode, tranne i pirla che provano a levarsi la camicia senza sbottonare i polsini. Op op, tric trac, un attimo e restano ammanettati da soli. Ma è quando tocca alla parte sotto che vengono a galla i problemi seri. E lì ci sono diverse tipologie di maschio. C'è quello che non sta mica tanto lì: se vede che c'è del ciupa in arrivo, in un attimo si cala braghe e mutande fino alle caviglie. Trac. Si pela da solo come una banana. Devo ammettere che in un primo momento l'effetto è bello. Peccato però che intorno alle caviglie si formi un cocktail di mutande, jeans, scarpe e calze, tutto saldato insieme, dal quale lui non riemergerà mai più. Una specie di piedistallo. Tu resti marmorizzata a guardarlo, come l'allodola ipnotizzata dal serpente, e lui comincia a saltellare come se stesse facendo la corsa nei sacchi, o fosse un giocatore di Subbuteo. Passa da superfigo a supercretino in un nanosecondo.

Poi c'è quello che per metà è preso dalla foia, e per metà conserva un minimo di cervello. E cosa fa? Si leva una scarpa, una sola. Sfila una gamba dei pantaloni, poi la mutanda, ma solo da una parte, e così con una gamba è libero di muoversi. Peccato che l'altra si porti dietro tutta una zavorra di scarpa, pantalone e mutanda, che lui cerca di togliersi scalciando come i muli quando li ferrano.

Infine, c'è il posa-piano. Il precisino. Mister Calmini. Che si leva con ordine le scarpe, le mette vicine, si leva i pantaloni, li piega, toglie le mutande e tiene i calzini. E di solito lo zar, che prima se ne stava impettito come l'imperatore quando saluta l'esercito, è già tornato alle fattezze del kiwi: corto, pelosetto e verde di paura.

Signori, sappiatelo: l'uomo nudo coi calzini sotto il ginocchio fa senso quasi quanto un coccodrillo che mangia una zebra. Il primo stilista che mette il velcro ai vestiti da uomo lo faccio santo!

Ciupa dance con la panchina

Un quarantenne di Hong Kong è stato beccato al parco mentre faceva l'amore con una panchina. Non fate gli occhi da Topo Gigio perché è tutto vero. Si è congiunto sessualmente con una panca. Io ho subito pensato: magari era con una ragazza, lei è andata via, lui non se ne è accorto, e... trac. Invece no, gli piaceva proprio la panca. Per carità, in caso di disperata necessità, gli esseri umani fanno l'amore un po' con tutto, dalle bambole gonfiabili ai cetrioli, e lui ha deciso di farlo con il foro di una di quelle panchine di metallo a buchi, che adesso le panchine sono di metallo forato, con i buchi, come il Leerdammer.

Insomma 'sto cinese si è trovato una notte in un parco, gli è partita la briscola e, detto fatto, si è carnalmente, e metallicamente, congiunto con la panca. Solo che, finito l'ardimento, avrebbe voluto, come capita a tutti i maschi, sfilarsi in fretta, fumarsi una sigaretta e magari andare fino al chiosco e mangiarsi un hot dog. Ma nulla di tutto ciò è stato possibile, perché purtroppo il walter è rimasto incastrato nell'accogliente arredo urbano. Nonostante il probabile rimpicciolimento, il walterino è rimasto piantato lì, e non c'è stato verso di disincastrarlo. Prova che ti riprova, nulla, non usciva più. Ma scusa, non si è sgonfiato? Non dovrebbe smollarsi dopo un po'? Non c'è prima il rigor e dopo il mortis? Invece niente! La panca non lo mollava. D'altronde, mettiti nei panni della panca: finalmente ha trovato qualcuno che l'ama e non ci piazza sopra il sedere, ovvio che abbia stretto la presa in un abbraccio pancale. Ha chiuso ancora un filino il diametro e ciao.

Insomma, il disgraziato ha chiesto aiuto ai passanti e quelli, veramente imbarazzati, hanno chiamato l'ambulanza. Pensa alla telefonata: "Potete venire cortesemente al parco? Un uomo si è sentito male mentre stava bene. Sì, si trova sulla panchin... anzi NELLA. Si trova 'nella' panchina. Dentro, ma non tutto, solo un pezzo".

Poteva finire lì, e sarebbe stata già una storia abbastanza brutta, ma poteva persino andare peggio e naturalmente così è stato: i medici non sono riusciti a liberarlo, perciò hanno dovuto portarlo in ospedale ancora con la panca attaccata. Se non altro, hanno risparmiato sulla barella, perché il poverino ce l'aveva incorporata. Ma sai che ci hanno messo quattro ore a liberarlo? Per fortuna il signore di Hong Kong non ha dovuto separarsi dal suo amico, ma di sicuro, d'ora in poi, starà attento a dove lo infilerà.

No, perché, se adesso parte 'sta moda qua, per voi maschi è finita. Quindi un appello: non è che appena vedete un buco dovete infilarci dentro il walter. Fate come volete, ma niente cose pericolose. NO levare le batterie alla torcia per amarla perdutamente. NO scarico del lavabo, niente buco del naso del cavallo della

RAI, zero anelli per le tende. BENE scavare un buco in un'arancia, entrare in una confezione di cotone idrofilo, amare perdutamente un vasetto di primule. Fate l'amore, non fatevi male.

Le tette di Kate

"Chi" ha pubblicato le foto della duchessa di Cambridge senza reggiseno e a momenti scoppia la Terza guerra mondiale. Scoppia la Terza guerra mondiale per colpa di Signorini. Pensa te. No, perché la regina, la nonna Elisabeth, si è intabaccata parecchio. Già Berlu non lo può vedere, al G20 di Londra aveva chiesto: "Chi è quello lì che urla così" – ed era Berlu che chiamava Obama –, figurati adesso. Avesse per le mani Signorini, lo legherebbe per le balle all'orologio della torre. E prima la nuora, poi Camilla, e poi ancora Harry nudo, adesso Kate con le zinne di fuori, manca solo la foto di suo marito Filippo in mutande sul toro meccanico. Che poi, le ho viste 'ste foto. Posso esprimere anche a nome di moltissimi il nostro più grande chissenefrega? Il nostro più educato me-ne-sbatto? Le tette sono più o meno tutte uguali, vista una viste tutte, non è che quelle della principessa c'han su la corona. Diciamo che noi autorizziamo la pubblicazione delle tette altrui quando ci sarà una che ne ha tre. Allora sì. Tra l'altro, 'sta disgraziata era a casa sua e stava cambiandosi il bikini perché era bagnato. E la capisco. Nemmeno io, che non sono manco principessa, sopporto di farmi asciugare il costume addosso. Perché poi le tette ti si ghiacciano, ti vengono fredde come quelle delle vampire.

Insomma, c'è lei che mostra 'sti due saccottini del Mulino Bianco. 'Sti due sacchetti di lavanda che servono per profumare l'armadio. E tutti a dire: "Be', sei duchessa, sei un personaggio pubblico, devi fare attenzione". Attenzione a che? A casa tua non puoi stare in mutande? Fammi capire... Devi girare con la muta da sub? Con lo scafandro da palombaro? Devi fare la cacca nelle ortiche per paura che ci sia una telecamera nascosta nella tazza del water? Non è che si è levata il costume davanti a Buckingham Palace o si è messa a lavare la Rolls-Royce con la maglietta bagnata come fanno le conigliette di "Playboy". E lo dico per tutti. Anche per Berlu, che l'hanno fotografato tra le fagiane nella sua tenuta.

Dicono che sia diritto di cronaca. Questa ossessione di andare a ravanare nelle mutande di chiunque è cronaca? Pubblicare una foto con scritto nella didascalia: "Tizia e Sempronia, anni quarantasette, in costume al mare a Sabaudia", dove si vede la poveretta con una chiappa fuori e una dentro, la cellulite a mestoli e i capelli che sembran masticati dai topi, sarà mica cronaca! Guarda che anche quelle più fighe, se le fotografi a loro insaputa, sembrano la sagra della porchetta. Ma perché tu, paparazzo dei miei stivali, quando sei in ferie, sotto l'ombrellone come stai? Inamidato con lo Stira e Ammira? Stai con la cravatta e i mocassini di vernice? Vorrei vedere te se ti fotografassero mentre orini tra i melograni... Non mi dire che saresti contento!

Collant e *man*scara

Novità per i nostri maschi dominanti, per i nostri galletti Vallespluga. Arrivano i trucchi per i maschi. L'uomo, stanco di truccare solo i bilanci, ora trucca se stesso. Si parte con la matita per gli occhi. Tu, gorilla nella nebbia, che hai l'occhio della trota fuori dal frigo, l'occhio della gallina sul bancone della macelleria, la pupilla dei bambolotti nelle discariche, basta che ti metta un velo di matita ed ecco che ti viene lo sguardo magnetico e tritapassere. Puoi completare l'opera anche con una passata di mascara, sempre per maschi, che si chiama *man*scara, appunto.

Il produttore ha precisato che non è assolutamente un articolo per omosessuali o travestiti... Certo, come no. Senza contare che poi, col garbo che avete voi maschi, se prende piede questa moda qua, vedo già i Pronto Soccorso degli ospedali pieni di uomini con la matita che spunta dal bulbo. Prima di imparare a metterla riempirete gli oftalmici per anni... ma, poi, ti pare? Che senso ha? Pensa trovarsi allo sportello della posta Moira Orfei con i baffi? Vespa con le ciglia finte che parla con Crepet pieno di strass? Monti con una mano di ombretto grigio perla e un tocco di fard sugli zigomi, o Casini con lo smalto prugna e un rouge à lèvres rosso carminio.

E non finisce qui. Cavallini, noto produttore di calze, ha già messo in vendita i collant per maschi. Pensa che in Rete c'è addirittura un sito che ti spiega come infilarli. Va be' che l'uomo è deficiente ma non è che i collant li puoi mettere in tanti modi, a meno che tu non sia un rapinatore...

Ma poi perché??? Già quando indossate la calzamaglia per andare a sciare siete inguardabili: saltate su un piede solo per tutta la stanza andando a sbattere contro le porte perché perdete l'equilibrio. Siete decisamente impegnativi pure quando vi infilate la tutina di lycra per andare in bici, quella lucida, catarifrangente con lo spessore sul walter perché il sellino non lo consumi. In quest'ultimo caso sembrate Malvolio nella *Dodicesima notte*, un incrocio fra Superpippo e un'otaria dell'acquario di Genova...

Lo capite, amiche? Se parte la moda dei fuseaux per maschi dovremo convivere con dei fessi che si aggirano per strada con l'isola di Pasqua in evidenza; dei Robin Hood con la paccata della Fornero in bella mostra...

Hai presente le balle di Bolle che balla, che sembra avere due quaglie nel sospensorio? Sai, se vedi in calzamaglia i due gemelli del rugby, ti sale un brivido, poi respiri aria fresca, ti fai vento con la mano, torni a casa, fai una doccia e tutto passa, ma se li mette Fassino? Te lo vedi, in fuseaux? Filura in collant fa subito *Settimo sigillo*. A Scilipoti come calzamaglia bastano un paio di gambaletti antistupro. Se tira bene gli fanno anche da sciarpa. Ferrara invece lo vedrei con un fuseaux fantasia con sopra stampata la creazione del mondo a episodi. Oppure la mappa del Nevada col Grand Canyon dipinto sul delta del suo magnifico panettone.

Emi e Imu

Eminenza? Eminens? Eminenzona mia santa? Parlo con lei perché ho più confidenza. Come va? Se ne sta anche lei davanti a 'sto marasma con la faccia sbafumà, sconvolta, come il suo capo che, poveretto, ha l'occhio della zanzara che ha bevuto l'Autan? È da un bel pezzo che non ci sentiamo. Capisco la pensione, ma due righe ogni tanto, un cazziatone dei suoi anche solo via fax, male non ci faceva. Passerà mica tutto il giorno a guardare "Uomini e Donne" in tivù? Non mi dica che se ne sta in poltrona con la giacca da camera, le ciabatte di velluto a coste maron, e il salvavita Beghelli appeso al collo. Frequenta ancora la Chiesa, o fa solamente consulenze esterne tipo qualche battesimo in nero? Per caso ha visto dalle sue parti quante pecorelle smarrite? Deve essergli andato in corto il TomTom. Tocca andare a riprendersele, Emi, non serve contarle di notte per addormentarsi. Ma cosa sta succedendo in Vaticano? Ce lo spieghi lei con parole facili. Pare sia diventata una voliera piena di corvi che rubano le carte.

Anche Torino è zeppa di corvi che si posizionano sui bidoncini verdi del pattume e tirano fuori le carte. Quando esci la mattina all'alba i marciapiedi sono moquettati di cartacce. Deve essere una prerogativa dei corvi. No, perché i piccioni non lo fanno. Di rubare le carte, dico. Ma da un piccione, lo dice la parola stessa, cosa puoi mai aspettarti?

Pare che queste qui, del Vaticano, siano carte segrete. Anche il suo capo, santo cielo. Poteva almeno nasconderle un po', con un cicinin di furbizia. Proprio nel cassetto della scrivania le infila, che è il primo posto dove si va a ravanare? Ma poi "segrete" in che senso? Tipo "Caro diario"? Forse son robe di conti, liste della spesa.

E dire che di risparmi ne avete fatti ultimamente. Anche con l'IMU, per quest'anno almeno, ve la siete sfangata. Quella, Eminenzona mia santa, proprio non mi va giù. Io non dico mica di pagare l'ICI o l'IMU, come diavolo si chiama, per chiese e oratori, ma siete pieni di case e casine e alberghi come a Monopoli, quelli mica sono luoghi di culto!

Ho letto che l'IMU della Chiesa ammonterebbe a una cifra che va da settecento milioni a due miliardi di euro. Solo a Roma ogni anno ci sono diecimila testamenti a favore del clero. No, perché noi ci fidiamo, ci mancherebbe, ma ogni tanto anche tra voi c'è qualcuno che ciurla nel manico, che perde la retta via... qualche mercante nel tempio.

E perché l'IMU non la pagate? Ho scoperto il motivo. Perché c'è una legge che dice che se dentro a questi stabili di vostra proprietà c'è anche solo un luogo di culto, allora sono esenti. E questo cosa vuol dire? Che se vedi un bellissimo palazzo a Roma e dici: "Guarda che palazzo della madonna" è già considerato luogo di culto? Basta così poco? No perché, se è così, allora anche noi, Emi, ci attrezziamo per non pagarla... Io, per esempio, a casa ho il calendario di Frate Indovino, dice che basta? Due bottiglie di Vin santo nel mobile bar fanno già luogo di culto? Nel mio salotto ho una poltrona dove sto da papa, almeno quei due metri quadri, me li scalate? Facciamoci furbi. Facciamo un albergo di lusso di duecento stanze, con sauna, sala massaggi cinesi, pista di sci e skilift interno, poi mettiamo una cappellina con due ceri accesi e lo chiamiamo Grand Hotel Carlton e della Vergine Maria, e non paghiamo un centesimo di IMU. Se no pazienza. Ci date l'otto per mille, lo dividiamo tra noi e morta lì.

Appello agli uomini

Quando piove io mi sento sempre molle come una capasanta senza il guscio, un pezzo di merluzzo messo a bagno che si gonfia... Così sto in casa e penso. Guardo il mio boy e penso. E stavolta mi è venuto un appello da fare. Eccolo qua.

Amici. Amici del sesso avverso. Allegri compari di Sherwood. Cara altra metà della mela, quella dove c'è il vermino... Cari amici nati da un unico ceppo ma differenti da noi per un'unica cippa, noi vi amiamo tanto anche in momenti della nostra vita che mai avremmo pensato. Vi amiamo quando adoperate l'asciugamano per la faccia per parti meno nobili e più vaste, vi amiamo pure quando, uscendo dalla doccia, per divertirvi, vi pinzate il walter sotto le gambe e ci fate vedere come sareste se foste femmine...

Ora, però, abbiamo delle richieste da farvi.

Cari e mansueti gorilla, a noi donne, più che la mimosa secca che ci regalate l'8 marzo, dopo che è stata tutto il giorno sul cruscotto, servirebbe che imparaste, tutti i giorni, piccole e grandi cose.

Ci sarebbe già di conforto che non vi faceste lo shampoo con il balsamo, per dire, e capiste che tanto non fa schiuma anche se, nell'insaponarvi, ci mettete l'energia che ci vuole per stancare un vitello prima della marchiatura.

Avremmo desiderio che i calzini, così come lo sono alla nascita, continuino a vivere appaiati persino quando saranno distanti dai vostri piedi.

Ci piacerebbe che capiste, almeno una volta ogni quinquennio, cosa vi vogliamo dire a volte col nostro silenzio. Se ci vedete tacite e silenziose, provate a girarvi. Se per terra, dietro di voi, vedete venti merde a forma di piede, pensate che forse ci sarebbe piaciuto che vi foste levati le scarpe dopo essere passati avanti e indietro nella fanga.

Vorremmo inoltre che oltre a sapere a memoria il numero di piede di Marchisio, vi ricordaste anche i giorni di ricevimento dei professori dei figli.

Adoreremmo che poteste comprendere, tra le varie e tante possibilità che vi si affacciano nella mente, che un bicchiere nel lavandino non deve per forza rimanere lì, ma è possibile lavarlo con due soli colpi di spugnetta... E che le pentole antiaderenti non sono fatte per disegnarci sopra dei geroglifici con la punta del coltello.

Apprezzeremmo che non consideraste come dogma assoluto che l'arrosto della mamma è più buono di quello che cuciniamo noi. Il Creatore non ha detto: "E la suocera fece l'arrosto, fatelo sempre così in memoria di me".

E saremmo felici se poteste non rimirare le tette delle altre come se fossero un'opera d'arte e le nostre come due vecchie cugine.

Ci piacerebbe che prendeste il raffreddore per quello che è, e cioè un insieme di starnuti che dura quattro giorni, e non come una malattia invalidante senza speranza...

Saremmo liete se almeno una volta nella vostra vita provaste ad appendere i pantaloni sull'attaccapanni in modo logico, pensandoci un attimo. Il gancio, per esempio, non va infilato dentro l'orlo.

Infine, vorremmo tranquillizzarvi: cari homi sapiens sapiens, state sereni e non temete. Dire una volta tanto "ti amo" non crea né impotenza né assuefazione.

La Mooncup

Notizia toda gioia toda bellezza. Novità nel campo degli attrezzi femminili. Diciamo subito che è una cosa per donne, si chiama Mooncup. Traduco: *moon*, luna e *cup*, tazza, la coppetta della luna. E dove si mette la Mooncup? Ti ricordi il tè? È buono qui e buono qui. Ecco, questa è buona solo qui, sulla squisitissima eminenza jole.

Per le portatrici sane di jolanda hanno inventato un aggeggio per salvaguardare l'ambiente, uno strumento ecologico che rispetta la natura e che si può oltretutto riutilizzare. È praticamente un bicchierino di silicone, che tu pieghi come un origami e infili, sistemi, nell'apposita cassettiera.

Quando si usa? Le donne lo possono utilizzare una volta al mese, per cinque giorni. E chi ha orecchie per intendere, intenda.

È chiaro? Serve per fare paracadutismo e la ruota anche nei giorni in cui rottamiamo l'uovo. Sono stata abbastanza soft nella descrizione? Insomma, si usa come alternativa agli assorbenti con le ali, l'elica e le lame rotanti. Pare che un sacco di donne la stiano sperimentando e si trovino benissimo. Basta solo prendere un po' di dimestichezza con l'attrezzo e poi è tutto in discesa. Dicono anche che sia molto comoda.

Adesso, per carità, va bene tutto, dimmi che è ecologica, che è igienica, dimmi che rispetta l'ambiente, ma comoda? Comoda? Comode sono le calze a pantofola, il parcheggio in pieno centro, la centrifuga per l'insalata, i bastoncini di pesce, che li butti in padella e via, ma la coppetta della luna? Come si fa a dire che 'sto copri-spinterogeno è comodo? Sarà utile, ma comodo non penso. Mi sembra un po' come quelle che si inerpicano su tacchi dodici beccheggiando come catamarani e poi dicono che sono comodissimi. No, dico, per me puoi anche infilarti un flûte da champagne, o un boccale della birra, o un calice di quelli a pancia per il cognac, ma che tu stia comoda è un altro par di maniche.

È vero che lì dentro, nella jole dico, ci facciamo stare di tutto, dai walter ai bambini, però una microteglia per la torta... che poi ti tocca camminare come a Capodanno, quando porti il pentolone con le lenticchie dai parenti, che stai tutto rigido per non rovesciarlo, lo metti in macchina per terra, parti, e alla prima frenata è uno tsunami di lenticchie che arrivano fino al vetro davanti... Scusa, magari sei sul pullman, quello frena e, op, dai il giro, oppure un'amica ti arriva da dietro, pacca sulla spalla, pam, e tu strabocchi come il latte sul fuoco.

Certamente devi avere anche una certa dimestichezza, non è come mettersi un dito nel naso, che la traiettoria è quella e non ti puoi sbagliare. Lì vai un po' a caso, random, devi fare come la sogliola quando si sistema sotto la sabbia – e si assesta pian piano –, come quando cerchi il campo col telefonino, che ti sposti di un pelo a sinistra e a destra...

Chi l'ha inventata? Un uomo. Di sicuro. Ispirandosi al meccanico quando svuota la coppa dell'olio.

Il bacio lemonsoda

La Lega ha detto NO ai baci in tivù. Massimo Polledri della Lega, alla Camera, ha dichiarato: "Basta con i baci e con le scene di sesso esplicite in tivù in prima serata, non per censura, ma 'per decenza'". Scusa? In tivù serve decenza? E in Parlamento, invece, si può continuare a dire puttanate? È anche un fatto di sensibilità personale: i baci no e Capezzone sì? Capisco il sesso, ma i baci...

I baci sono una delle cose più belle che ci hanno dato in dotazione per poter sopravvivere. Sono spesso il momento clou del film, quello che aspetti dall'istante in cui i due protagonisti si incontrano per la prima volta tamponandosi al semaforo; e quando finalmente arriva è un po' come se partecipassi un pochino pure tu.

E poi, i baci possono essere di molti tipi. Partiamo dal bacio di circostanza, sulle guance, una salvezza soprattutto se quello che hai di fronte ha l'alito dello sciacallo che ha appena divorato un'antilope, quel fiato che sa un po' di nido di topo, di Apocalipse Now. La tipica fiatella di certi maschi che sembrano avere inghiottito un panino al letame. In quel caso, puoi baciare l'aria che lo circonda. È oggettivamente brutto, ma si tratta di sopravvivenza.

Poi c'è il bacio sulla guancia, quello con la saliva, che lascia un po' di smucinamento. I bambini sono bravissimi in quel bacio lì: se ti va bene, oltre alla saliva, ti lasciano anche un cucchiaino di moccio.

Ma veniamo ai baci sulla bocca: il primo tipo è quello a stampo, il primissimo bacio che dai quando sei adolescente. Quello è un po' come se dovessi timbrare le labbra del partner. Il bacio di marmo, che te ne stai con gli occhi aperti fino a farli diventare strabici per vedere che faccia fa l'altro. Più che baci sembrano dei timbri, come quelli delle impiegate delle poste.

E poi ci sono i baci veri. I baci lemonsoda. I baci Simon Le Mon. Quelli dove le labbra si smollano, le gambe si piegano, le tette si drizzano e i cuori si fondono, quelli dove è prevista l'introduzione di quel pezzettino di tessuto molle che abbiamo nella bocca e che si chiama lingua. Quella roba che io muovo incessantemente per dire cazzate, hai presente? Tra questi c'è il bacetto, dove il maschio introduce un pezzettino piiiiiiccolo di lingua ma poi la muove come una saetta: la linguetta delle trote, bianca e a triangolo, che se hai il ponte debole sul davanti te lo ribalta. Poi c'è il bacio con la lingua ricambiato, dove le lingue si incontrano: "Piacere...". "Piacere... Pure lei qui? Scusi se spingo ma due lingue in una bocca sola fanno effetto ascensore, non si sa mai dove mettersi." Poi ci sono i baci in cui i maschi fanno invasione. Sì, ci sono dei maschi che, quando ti baciano, pensano di essere a casa loro e che invece di limonare praticamente ti fanno la gastroscopia. Se non stai bene attenta, ti soffocano. E poi ci sono quelli bravi.

Che baciano così bene da mandarti in estasi, da farti credere che la mano che ti ritrovi sul sedere sia la tua. Il bacio che ti fa vedere gli universi stellati, i cavalli al galoppo, le sfere celesti, tutte cose aeree ed eteree mentre dal basso senti qualcosa di meno etereo che si risveglia.

Il bacio è una cosa bellissima, è fondamentale, è dal bacio che capisci il tuo futuro, non dal piano accumulo pensioni. Ve lo posso garantire io, che sono esperta. Ho baciato Pippo Baudo, non so se mi spiego. Per me adesso è tutta una strada in discesa. Dopo Pippo Baudo sento di poter limonare con un lama, con un parroco o con Topo Gigio.

Letterina di Natale

Caro Babbo Natale, Babbioncello bello, ciccione nostro che sei nei cieli...

Sarai stanco anche tu Babbione mio bello. Ma la Fornero ha detto che non puoi ancora andare in pensione. Ti tocca tirare la slitta per un bel po'. Dice che è un patto generazionale per dare un futuro a Gesù Bambino. Dille di sì, per carità, se no si mette a piangere.

Caro il mio Babbo, nessuno pensa mai a te, che vivi in un posto lontano da tutto, tra muschi e licheni, e pieno di capanne dove Filippa Lagerbäck va a masticare le gomme.

Te lo dico subito: quest'anno vedi di non buttarti dal camino che sotto non è "morbido". Sotto è duro, Babbo. Sotto, minchia, Babbo mio, trovi il suppostone di Monti, a punta in su, che se ci cadi sopra, dopo rischi di camminare a gambe larghe come i lottatori di sumo.

Non ti chiedo niente per me, che ho già troppo, ma porta, ti prego, un paraorecchie al ministro Giarda, che grandi così qua non se ne trovano. O fagliene uno tu con due copri parabola.

Tu che sei buono, fai fare la pace a Milly Carlucci

e la D'Urso, e mandale tutte e due a ballare sotto le stelle. Possibilmente quelle cadenti.

Porta delle labbra alla Santanchè, che ne ha poche. Forse si saranno consumate. E levane un po' alla Minetti che ne ha troppe e affaticate.

E poi, Babbo, porta a tutte noi un fidanzato come quello di Tiziano Ferro, perché da quando sta con lui, Tiziano scrive delle canzoni così struggenti, così romantiche, così appassionate, che quel ragazzo deve avere un pacco e una grazia nel porgere da Grammy Awards.

Noi in cambio ti regaliamo Berlu. Un usato sicuro. Usato soprattutto in alcune parti del corpo. Se lo accetti fai solo attenzione con la Befana perché quella è abituata a un altro tipo di scopa. Sai come è fatto Berlu, capace che poi va a dire in giro che la Befana è la nipote di Mubarak.

Se vuoi ti diamo anche uno che ha il nome da re magio, Marchionne. Prenditelo pure, se gli dici che lavori gratis viene a fare la Panda a Oslo e ti fa anche le slitte 4x4.

Anche la Carfagna, ti diamo. Solo, mettile un paio di occhiali da sci, che con gli occhi del "Porca troia!" sulla slitta le si congelano le cornee.

Se vuoi anche la Gelmini basta fare un fischio. Lei scava un tunnel e arriva da sola.

Ah, prenditi anche Calderoli, fa compagnia. Quando gli passi accanto grida: "Padania" e si agita come i pupazzetti degli autogrill.

E, infine, da parte degli inglesi, ti regaliamo Pippa Middleton, che non serve a un tubo, ma se la metti come ultima renna almeno quando viaggi ti vedi un bel culo.

Post scriptum Ogni anno ti chiedo di portare un cognome nuovo all'onorevole Bocchino. Sai bene che da noi Bocchino non è solo il nome di una grappa. Ma tu niente, anzi. Ci hai mandato anche l'onorevole Passera. Complimenti! Il prossimo anno, Babbone santo, cosa ci dobbiamo aspettare? L'onorevole Tromba e la senatrice Gaia Gnocca?

Chi prima arriva...

La SIAMS, Società Italiana di Andrologia e Medicina della Sessualità, ha fatto un'inchiesta e ha scoperto che in Italia ci sono ben due milioni e mezzo di coppie che quando fanno il ciupa dance non trovano sincronia nel piacere. Non godono ensemble. Uno vede le stelle, l'altra guarda il comodino. (Sono diventata la Natalia Aspesi dei deficienti, parlo sempre di amore nelle parti basse. Mai una volta che voli alto... Volo rasoterra come i tacchini. È il bello e il brutto di me.) E chi è che arriva prima del tempo in questo rendez-vous de l'amour? Chi è che si presenta in anticipo? Voi maschioni.

Parlo figurato per non scandalizzare i bambini. Diciamo che il missile NASA, che parte per centrare il buco nero, entra in orbita quando il buco nero non è ancora pronto. Insomma, il maschio arriva a destinazione quando tu stai ancora parcheggiando la macchina sotto casa.

È così, cari amici: ci sono due milioni e mezzo di coppie che procedono spedite nel gogamigoga senza esitazioni ma quando si tratta di chiudere la pratica, di assurgere all'Olimpo, di spiegare l'ugola nel do di petto finale, uno taglia il traguardo e l'altro no. Uno sale sul podio e l'altro è ancora lì che ranfia e sbuffa sulla salita finale. E la mancata sincronia nasce dal fatto che lui si sbriga in frettissima e lei no. Il vostro walter è un fulmine come quello del mago Albus Silente, come quei treni ad alta velocità che, quando passano, senti solo lo spostamento d'aria.

Mi spiego: il ciupa è come una danza, un passo a due. È come se il ballerino lanciasse per aria la ballerina e poi si dimenticasse di riprenderla e facesse le piroette per conto proprio. Lei si scatafratta e la devi poi tirar su col mestolino.

La domanda è: "C'è rimedio?". Se fra Gigi e Gigia, Gigi arriva prima e Gigia dopo, non converrebbe che Gigia partisse prima? Lei si porta avanti col lavoro, e lui intanto, con calma, finisce di vedere la partita, e quando lei gli fa un fischio, tira giù le braghe e prit. Certo, si potrebbe anche usare il profilattico ritardante, che però non ho mai capito come funzioni. Secondo me è fatto di lana cotta tirolese, ti ottunde le sensazioni per cui il piacere non lo raggiungerai mai e poi mai. E farselo ingessare? Che copre un duplice bisogno? Non senti niente e resti comunque rigido da bestia?

Dunque, secondo la SIAMS lui e lei arrivano all'orgasmo in tempi diversi. Ma cosa vuol dire in tempi diversi? A rigor di logica, se lui ha dato il meglio, trafitto la farfalla, visto il Paradiso coi santi e John Malkovich che beve il Nespresso, come fa lei ad arrivare, non dico dopo, ma arrivare in qualche modo? Se la matematica non è un'opinione, con la bandierina piegata lei al traguardo come ci arriva? Ehi, SIAMS, ve ne siete persi un pezzo! "Raggiungono l'orgasmo in tempi diversi." Sì, ma non specificate quando ci arrivano le donne. Secondo me, quindici giorni dopo, quando dicono al marito che vanno a un convegno di lavoro e invece si fanno una settimana bianca col collega d'ufficio.

I cinquant'anni di Ken

Ken compie cinquant'anni e, per festeggiarlo, la Mattel che versione avrà messo in commercio? Un Ken con la chierica? Un Ken che si misura la pressione? Un pupazzo con l'ernia espulsa? No, signore, la Mattel ci invoglia ad acquistare 'sto omino gommoso che sembra Alessio Vinci di "Matrix" per via di una nuova particolarità: un pulsante sulla schiena che, se lo schiacci, gli fa dire: "Ti amo". Proprio così, ripete una scarambola di "Ti amo" per cinque secondi consecutivi.

Mi scusino quelli della Mattel, ma la vera idea sarebbe stata un'altra. Per festeggiare davvero i cinquant'anni di Ken, non potevano mettergli finalmente il walter, invece di quell'accenno di plumcake che si ritrova, così, dopo mezzo secolo di mutilazione forzata, avrebbe potuto sentirsi finalmente un maschio?

Comunque, io lo trovo meraviglioso. Sai cosa? Lo metterei anche ai maschi veri un pulsante tra le scapole. Così, almeno, quando vi va il sofficino per traverso e ci tocca scardinarvi la schiena a manate, ne avremmo un tornaconto. Perché voi maschi non sapete cosa sia il romanticismo. Siete romantici come rospi del pantano. Noi abbiamo bisogno di coccole verbali. Abbiamo bisogno che il nostro maragià ci dica delle robe, ma non del tipo: "Non vado in bagno, devo provare col bifidus regularis della Marcuzzi". Parole d'amore, dannazione. Siete empatici come le lontre impagliate, come quei dalmata di porcellana che troneggiano nei salotti borghesi. Se tu e lui guardate insieme un tramonto appoggiati alla ringhiera, il massimo che ti puoi aspettare è una mano sul sedere. E non è tenerezza che ha sbagliato bersaglio, perché se gliela lasci per più di dieci secondi dal fondoschiena passa a tutti gli obiettivi sensibili presenti in zona. Uno per uno. A cercare il tasto che fa partire il ciupa.

Anche la delicatezza non sapete nemmeno dove stia di casa. Se sei davanti allo specchio a infilarti gli orecchini e lui deve lavarsi le mani, non chiede permesso, ti eietta direttamente con un colpo di culo. Se ti fa una carezza, non dico d'amore, ma di compagnia, rischia di riaprirti la fontanella. Quelle carezze premute che ti escono fin gli occhi dalla testa. Come quelle che dai tu al gatto, che sembra che tu lo stia passando nei rulli del Pastamatic fino a farlo diventare lungo un metro e mezzo come la pasta degli agnolotti. Se sei di vertebra che scricchiola, scoppietti come un caminetto.

Diciamo che, rispetto all'età della pietra, la moda di trascinarci per i capelli è appena un po' svaporata perché tante di noi hanno il taglio corto, solo per quello. Senza contare che nel sonno i nostri maschi tirano gomitate da wrestler. Ti svegli col setto nasale diritto solo perché la seconda gomitata ti raddrizza il danno della prima.

Vogliamo parlare del loro rapporto con le malattie? Tipo con l'influenza? È così. I malesseri, i maschi, li sfondano. Trentanove di febbre e vedono già i ragni giganti camminare sulle pareti, sentono le voci dei profeti. Due linee di febbre e ritornano indietro di quarant'anni, e vogliono la mamma. Si spiaggiano sul divano e ogni tanto: "Ehhhhh...". Emettono un lamento come se stessero tirando le cuoia, con l'occhio che dice: "Chiama il prete". Deboli come Violetta nella *Traviata* un attimo prima che la tubercolosi se la porti via. Il bello è che quando stanno male mandano giù qualunque cosa, avete notato? Dagli anche due palline di cacca di topo e loro le buttano giù con un sorso d'acqua. E poi, appena malati hanno già due centimetri di barba, girano con la vestagliona slandra, quella da maniaco sessuale al parco, odorano di filetto di platessa al vapore e borotalco, e si dimenticano come si cammina, strisciano i piedi per spingere le pantofole in avanti. Grigi come il bollito il giorno dopo.

Dio del cielo, Signore delle cime: perché li hai fatti così? Non potevi fare una femmina solo un po' più ruvida e col piolo sul davanti? Invece no, hai creato l'uomo, che quando si rade canta come un'orca che ha inghiottito Al Bano. Se ha la barba di due giorni, ci gratti il Parmigiano, e se ce l'ha lunga volge allo scimmioide. Capisci che gerla ci tocca portare? Quando vado in Paradiso cerco il capo e gli chiedo spiegazioni.

Il pisciavelox

"La festa non decolla se non c'è il gorgonzolla." L'avete sentita 'sta pubblicità alla radio? Mi fa venire dei nervi, ma dei nervi... sai che insulto la radio? No, ma scusate: che rima è? Decolla-gorgonzolla? Capisco, il problema lì è il gorgonzola, che non fa rima con niente. Avessero avuto un altro formaggio era più facile: "La festa va sempre peggio se non c'è il taleggio...", "La festa è un'emozione col provolone...", "... una vera botta con la ricotta..." ma con gorgonzola, lo ammetto, è più difficile. Allora non fate la rima! Trovate qualcos'altro! No, perché, se vale tutto, ve ne do io di nuove. Lo faccio per il pollo Amadori? "La festa c'è solo con la coscia di polo." "Dal cielo cade la manna: sono i tortellini di Giovanni Ranna."

Ma veniamo alla notizia befana, va', che è meglio. Parliamo di leggi. D'ora in avanti fare la pipì per strada è considerato reato. Anche se la fai di notte al buio e nessuno ti vede. Mi rivolgo soprattutto a voi maschi, che siete sempre lì con l'idrante in attività, sempre col walter per le mani, per un motivo o per l'altro. Eh certo, non siamo mica noi che andiamo a far pipì contro i bidoni. Anche solo per una questione anatomica. Come facciamo? Quando ci proviamo sembriamo delle tartarughe lì lì per cappottarsi. Delle rospe acquattate nel buio... Voi dove siete siete, alè. Vi scappa? Fruc, risolvete la pratica. Per noi è tutto più complicato, dobbiamo spogliarci dalla vita in giù. Voi avete la feritoia per le uscite d'emergenza, sfoderate l'alabarda, tirate fuori la lumachina dal guscio e bon. Noi dobbiamo aprire un sipario dopo l'altro come il vecchio carosello: tan tan tan tan tan taratatan gonna, collant, mutande...

Insomma, adesso è reato mentre prima non lo era. O meglio, lo era solo se si vedeva l'ambaradan, il gigino. In quel caso si trattava di atto osceno in luogo pubblico e l'uomo non poteva bluffare dicendo che stava indicando con il walter l'orario di passaggio del prossimo autobus. Ora invece, anche se non si vede il colpevole, basta la traccia perché sia reato. Prima, a momenti, potevi fare pipì dall'abbaino di casa tua sui gerani di quello di sotto senza che nessuno potesse dirti niente. Se tu innaffiavi i portici di via Roma in piena notte e di nascosto la sfangavi. Adesso no. Adesso viene il vigile, ti chiede se il walter è tuo e te lo confisca. Cosa faranno? Vi metteranno le ganasce? Perché se ti danno solo la multa, alle volte conviene, costa meno di un caffè da pipì al bar di lusso... Che poi capita pure che i bar non abbiano il bagno perciò bevi il caffè che ti fa venire ancora più voglia, paghi e finisce che pisci sotto i portici. Tra l'altro, siamo noi donne a essere pisseuses, è a noi che scappa ogni due per tre. La facciamo continuamente. A gocce, come lo champagne millésimé. Invece voi maschietti, quando vi ci mettete, sembrate il Sangone...

Comunque la legge è giusta. È uno schifo lordare i

muri e impuzzolentire i marciapiedi. Il problema, semmai, sarà cogliere sul fatto i trasgressori. Come si farà? Piazzeranno dei pisciavelox? Che appena uno fa pipì gli fotografa il walter e poi devi dimostrare che non eri tu alla guida? O ti costringeranno a riempire il palloncino? Che se non riesci è perché l'hai appena fatta? Staremo a vedere. Toccherà definire almeno degli appositi spazi contrassegnati da un cerchio giallo, per i deboli di prostata.

Tutti gli uomini di Eli

Non vorrei dire "io l'avevo detto" ma io l'avevo detto. Di Clooney e della Canalis intendo. Niente nozze di Cana. Eli mi ha fatto persino pena. Già è brutto essere piantate da un fidanzato normale, di quelli che non distinguono una tetta da un abat-jour, ma essere mollate da Clooney, uno dei maschi più fighi del Pianeta, dev'essere proprio lo strazio supremo. Come se il principe azzurro alla fine della storia tirasse in testa la scarpa a Cenerentola.

Ma la Cana è una forte, di sicuro non ha problemi ad accoppiarsi. Lei, ormai l'abbiamo capito, si fidanza solo con diversamente poveri... D'altronde bella è bella. È una di quelle gnocche a cui non puoi dire niente. A pensarci, mi vengono dei nervi, ma dei nervi... Perché? Ti sembra giusto? Senza una pustola, senza un baffo, un pelo superfluo, niente. Noi i peli ce li abbiamo distribuiti dappertutto, perché invece la Canalis li ha solo in testa? Ce l'avrà anche lei una magagna no? Una voglia a forma di gorgonzola, un neo peloso tipo isola dei Caraibi con in mezzo la palma? No, scusa, guardale il sedere: sembra che abbia le chiappe di legno massello. Se posso dire, però, quelle che hanno il culo troppo duro, sedute, stanno scomode. Meglio uno di quei tafanari a materassa con le chiappe trapuntate, che anche se ti siedi sui banchi di chiesa stai comoda.

Comunque, la Cana non si è data per vinta e, dopo Giò, ne ha trovati svariati altri. Io sto qui con uno con la faccia perenne del cane dal veterinario e intanto la Canala gira il mondo saltando da un walter all'altro. Ricapitolando: dopo la rottura con Gi si è fidanzata con un modello nero che si chiama Mehcad Brooks. Alto uno e novanta, un tronco di pino nero che di George ne fa tre in tutti i sensi. Un toblerone gigante che si vedono anche le nocciole. Una moka da dodici che ti leva il fiato. Lo leva a me, solo a vedere la foto, figurarsi a lei... Non le leva solo il fiato, la mette sottovuoto come con la mortadella per conservarla.

Eli? Elisir? Mi dici come fai? E soprattutto come ce l'hai? No, perché non ce la può avere uguale alle nostre. Noi abbiamo una jolanda di serie. Lei secondo me no. Ma scusa, non è possibile che trovi un altro fidanzato subito dopo aver rotto col precedente, a distanza di pochi mesi. Io ho delle amiche che stagionano come fontine senza che nessuno ogni tanto gli dia due colpetti per vedere se son pronte da mangiare; giovanotte che vedono gli anni passare come autobus che vanno al deposito; donne, e ti dico fior di donne, che per avere un uomo accanto si mettono vicino ai vigilantes delle banche... ed Eli non fa in tempo a togliere lo spazzolino da denti di uno dal bicchiere che ne arriva immediatamente un altro? Ancora meglio di quello di prima? Elisa di Figombrosa la deve avere come minimo speciale, metallizzata, coi vetri elettrici e l'apertura automatica, che lui arriva sotto casa, preme il telecomando e zzzz, le si spalanca il vano motore; col tachimetro che misura la velocità d'entrata in curva; col termostato, calda d'inverno e fresca d'estate. Avrà il red carpet per le grandi occasioni? O magari ce l'ha parlante? Che ti dice "ciao" con la voce di Norah Jones?

Non è finita qui, amiche, perché, dopo il toblerone di modello nero, l'Ironman di ebano e carne dura e spessa, roba che non si butta via niente – con quello che avanza ci fai anche il brodo –, si è messa con tale Steve O, di professione stuntman. Voi siete mai state con uno stuntman? Figurati. Per fare lo stuntman ci vuole coraggio e trovare coraggio nel proprio marito è come cercare le balle in un merlo. Tra l'altro questo Steve O è famoso perché partecipa a quelle trasmissioni assurde americane dove vedi quattro pirla che si danno fuoco ai peli del sedere, e poi ridono. Fanno tutta una serie di minchiate, tipo buttarsi in mezzo ai gatti coperti di pasta di acciughe o rompersi i denti a vicenda con un martello da rocciatore, e poi ridono tantissimo. Ecco, la Canalis è stata con uno di quelli lì, diventato famosissimo perché ha fatto una roba pazzesca: si è pinzato un amico di maria alla gamba con la pinzatrice e si è anche incollato le chiappe con la sparapunti. Ora, onestamente, chi non vorrebbe un fidanzato così? Tutte... Io mi innamorerei subito di uno che arriva a casa la sera e si pinza i maroni, tira fuori la lingua e se la inchioda al tavolo... Ma vuoi mettere? Clooney al massimo portava a casa un Oscar, questo esce di casa tutte le mattine e si butta con lo skateboard contro un TIR pieno di merda di gallina. A meno che Steve O si sia messo con Elisabetta come prova di massimo coraggio. Gli avranno detto: "Decidi. Per la prossima puntata puoi scegliere se farti stirare il walter con la vaporella, limonare con uno sciacallo, o fidanzarti con la Canalis". E lui ha risposto: "Canalis! Cacchio, limonare con lo sciacallo lo tengo per l'ultima puntata...".

Lo scaldawalter

Una novità per il nostro pistolero della valle solitaria, per il nostro "lui", a cui abbiamo donato il cuore e la jolanda. "Che cosa sarà mai?" vi chiederete. Una fede fusa all'anulare affinché lui non possa mai più togliersela? Un centratazza? Una borsa da ginnastica che puzzi di piede già da nuova se no non la sente sua? No, amiche. Se lo volete vedere felice regalategli uno scaldawalter.

Esiste, e non sto parlando di un piccolo termosifone da mutanda. E nemmeno di una piastra tipo quella per capelli dove infilare l'amico fritz per dargli sollievo nei giorni di brina. Lo scaldawalter è un semplice portapirillo. Un aderente e comodo pa-rtù, un paltò per la virtù. C'è. Esiste. A forma di cappellino di Babbo Natale, una specie di calzerotto, un moon boot per walter. Comodo ed elegante, tiene caldo come il riscaldamento autonomo.

Se volete un lavoro come si deve, fateglielo fare su misura. Gli fate prendere le misure dal sarto. Ma per fare le cose a regola d'arte fategliele prendere anche da una sarta. Perché la misura varia. Il walter è volubile come il cielo d'Irlanda. Siete fatti strani, voi maschi, chissà perché il Creatore ve l'ha ideato così. Mutevole. Scusa, le mani non ve le ha mica fatte molli. Che uno si sveglia al mattino con due manine che sembran foglie secche poi, mentre si fa il caffè, trann, per dire. Va' a sapere...

Insomma, esiste 'sto scaldapene per quello che, in fondo, è un dito meno rigido. E le dita non le copriamo coi guanti? Per qualcuno è un pollice, per altri un mignolo. Per altri ancora un mignolo di bebè. Per alcuni, va detto, non basterebbe una moffola, ma, se siete fra le fortunate prendetegli una di quelle sacche in cui si mette il mangiare dei cavalli.

È giusto, no? Perché il walter deve star lì a gelare? Ha diritto al suo pile, al suo calzino anziché sballonzolare nudo e infreddolito nei boxer che son pieni di correnti d'aria. Con lo slip è diverso, perché in quel caso il walter fa la fine del mollusco nella conchiglia e un po' di riparo lo trova.

Ho visto le foto su Internet, sono piuttosto lunghi a dire il vero, ma basterà fargli il risvolto, care amiche. Esiste anche lo scaldawalter natalizio: è rosso, ha il bordo di pelo bianco, un'applicazione di vischio e dei campanellini. Ah, scusate, dimenticavo i pompon in fondo. È abbastanza grosso da riuscire a scaldare sia quando il walter è dottor Jekyll sia quando è Mr Hyde.

Mi chiedo: avrà anche le bretelle? Perché, se no, come sta su? Non è che gli puoi mettere l'elastico come per i calzini perché poi si ferma il sangue e mi diventa tutto blu, sembra poi il walter di un tuareg. Diciamo il prezzo: tre euro e novanta. Con quaranta euro sistemi dieci amici.

Certo, bisogna ricordarsi, quando è il momento, di toglierlo, altrimenti fa spessore e, se non è di buona qualità, anche i pallini. Dimenticavo, amiche, ho controllato, c'è pure la taglia extra small.

Silvio ha alzato i tacchi

Non so se vi è giunta voce ma pare che sia finita l'era B. Sì, insomma, Silvio ha alzato i tacchi. Che per lui non è roba da poco. No, perché andando in giro col tacco da sei centimetri, ora sfodererà minimo un tacco dodici come la Marini. Comunque, si è dimesso. Ha imparato una posizione nuova, la posizione del dimissionario, proprio lui che è sempre andato forte con quella del missionario. Ma pensa quell'uomo lì: si credeva il più figo del Pianeta, e adesso è lì. Solo. I suoi lo tradiscono. Tremonti lo schifa. La Minetti manco gli pulisce più i denti. Pensa che tristezza. A saperlo era meglio se, invece di scendere in politica, si metteva a condurre una nuova edizione di "Colpo grosso".

Certo che Berlu è strano. Se è vero che dava a tutte quelle ragazze fior di euro per non farci niente, siamo di fronte al ribaltamento di ogni legge di mercato. È come se uno andasse dal benzinaio, si fermasse a guardare un po' la pompa di benzina e pagasse quaranta euro di pieno senza farlo. Tra l'altro anche le ragazze: ci vorrebbe almeno un filo di deontologia professionale. Vi pagano fior di quattrini, cene e gioielli, farfalle di strass, non potete mica andarvene a casa senza aver mostrato neanche una fettina di culo.

Al riguardo, Bossi ha dichiarato: "Eh, è normale che gli piacciano le donne, meno male che è così... ". Vorrei vedere, se, invece del Trota avesse una figlia, la Tinca, che va alle feste. E poi andasse lui a prenderla quando esce, verso le quattro del mattino. Già la Tinca, come pesce, ha gli occhi di fuori, figurati uscita dal bunga dove li ha. Come i pesci degli abissi, appesi ai tentacoli.

Non rilassiamoci troppo, però: ha già detto che torna. Salterà fuori come Terminator quando lo avevano liquefatto. Ta... tannn si ricostruisce dalle molecole. Lui è come Dracula, che lo vedi lì duro, bianco e rigido, ti giri un attimo e hai già i suoi canini piantati nel tuo collo. Io, per sicurezza, lo metterei sott'olio come i lampascioni.

Belén e Belìn

Volevo subito tranquillizzare tutti. Belén e Belìn stanno bene... e la loro storia procede a gonfie vele. No, perché questo è il gossippissimo del momento: le vicende amorose della Rodríguez e la sua gravidanza.

Partiamo dall'inizio. La B.B., la bella Belén, ha mollato Fabrizio, ha deposto la Corona preferendo lo scettro di un altro. Per la precisione, quello di Stefano De Martino, fidanzato di Emma Marrone, che, così, a una prima sommaria occhiata, sembra pure di una certa entità, taglia Beckham, per intenderci. Ho visto una foto di lui in costume da bagno e mi sono venuti gli occhi della Carfagna: sembra che abbia tre dalie negli slip. O gli funziona al contrario, che quando è disinteressato è gigante e quando il motore va su di giri si sgonfia oppure, cari miei, dico solo questo... cari miei! Cara grazia. Cara grazia e Caron dimonio, pure.

Poi adesso c'è 'sta moda qua, che in spiaggia, se uno ha il disturbo grande... parlando di volatili, un cormorano, allora come costume sceglie lo slippino. Con l'ambaradan tutto costipato dentro che sembra sul punto di esplodere. Se invece del cormorano, come uccello di compagnia, ha il bengalino... bermudoni. Per quelli che hanno poco bijoux, quelli con un cucchiaino da caffè, con poco asparago tanto elastico. Due mongolfiere.

Comunque, la povera Emma quando ha saputo del tradimento, da marrone è diventata fucsia. Invece Corona si è subito rifidanzato. Con una che si chiama Marlon. Prima Belén e poi Marlòn. La prossima come si chiamerà? Autàn? Si vede che deve avere un nome sospeso, se no a lui non piace. Certo che per questi qua rifidanzarsi è un attimo. Il tempo di evacuazione di una rondine, plin, il sospiro di chi ha il fiato corto, la velocità del bosone di Ginevra. La gente normale ci pensa e ci ripensa, si studia, va a letto insieme e poi entra in meditazione. Qui vanno tutti veloci, il tempo che ci metteva il Trota per dire una boiata."Salve, posso metterti una mano sul culo? Ti amo." Bon. Fine.

Povera Emma, che a Sanremo cantava *Non è l'inferno*... Infatti, quello è arrivato dopo, per mano di questo giovine che potremo distinguere dagli altri per quel suo pendere in avanti. Perdonalo, Emma. Ho paura che se ne salvino pochi, se Belén gliela tira dietro, se la don Rodriga gliela porge. Oggettivamente resistere a Belén non è facile. Come fai? Tu maschio qualunque, se ti passa vicino Belén che ti sventola il lepidottero e ti dice: "Gradisce?", cosa fai? Rispondi: "No, grazie, sono pieno"? Non riuscite neanche a immaginarlo, vero? Capisco. Belén che la dona a voi è come vedere le cascate del Niagara andare al contrario. È più facile che un cammello passi nella cruna di un ago che voi entriate nella cruna di Belén. Una scena così potete immaginarla solo se bevete alla fonte della droga.

Insomma, fra De Martino e Belén è andata così.

È evidente che a Belén piace tanto quando lui suona la campana: "De Martino, campanaro, dormi tu? Dormi tu? Suona la campana, suona la campana, belén, belén, belén...". Infatti, notizia di qualche giorno fa, Belén aspetta un bambino. Dai e dai, alla fine ci rimani. "Tanto tuonò che piovve" diceva mia nonna. Qualche mese fa è girato in Rete un filmato dove la B.B. mostrava come si fa a rimanere incinta e adesso sul suo profilo di Facebook è già comparsa l'ecografia. Speriamo solo che Belén non abbia mai problemi intestinali, perché la sua colonscopia su Twitter vorrei evitarla... Chissà la farfallina adesso, con la pancia. Diventerà un tordo, e al nono mese sarà un fagiano.

Il padre, ça va sans dire, è Belìn, di cui lei è innamoratissima. È la sua mezza mela, dice lei. E Corona cos'era allora? La sua mezza pera? Ma scusa, c'è stata insieme per anni, ogni due per tre era imbertata con lui, si facevano fotografare con le lingue intrecciate come i cestini di vimini, arrotolati come il sushi, avvinghiati come i calchi di Pompei, che più che amore, il loro, sembrava una seduta di fisioterapia...

Tornando alla notiziona, Belén e Belìn hanno già deciso il nome: Santiago. Come la capitale del Cile. Che già chiamare un figlio con il nome di una città fa pensare che la paternità non sia certissima. Come chiamare la figlia Brescia o Senigallia. Anch'io, guarda, se avrò un nipote lo chiamerò Pinerolo. E se sarà femmina Biella. Pensa quando lo chiami dal balcone perché rientri a far merenda: "Courmayeur!!!", "Villarboit!!!".

Maschere alla cacca di colibrì

Oggi mi rivolgo a voi, amiche, donne che corrono coi lupi ma poi sposano degli asini; donne, sale nella lavapiatti della vita di cui i maschi sono il calcare.

Amiche, sono in arrivo per voi splendide novità in campo cosmetico. Dopo le creme al caviale, i fanghi alle alghe e i gel al cetriolo arrivano direttamente da Oltreoceano dei nuovi cosmetici schifosi. Tra poco noi ci spalmeremo sul viso ciò che non toccheremmo neanche con la punta di uno stivale.

Prima novità: una crema a base di veleno d'api. Pare che faccia benissimo. Non api qualsiasi, però. I principi attivi sono estratti da insetti allevati in alveari neozelandesi. Non chiedetemi perché le api neozelandesi abbiano il veleno migliore di quelle di Pecetto: non lo so. Tu te la spalmi sul muso e ti viene la pelle liscia come la sfoglia Buitoni mentre prima sembrava quella del pollo Aia.

Ma non è finita qui. Victoria Beckham, moglie del grande calciatore col disturbo sul davanti, per farsi bella usa maschere al guano di colibrì... che poi il guano sarebbe la cacca. "Guano" dice poco, ma se dici "cacca" l'effetto è ben altro. La Beckham va matta per la cacca dei colibrì. Vedi che il destino è veramente cinico e baro? Perché non fa diventare belle lo sterco delle vacche, che ne fanno a carrettate? Con una vacca ben ispirata riempi una profumeria, con i colibrì, no: ne faranno un ditale in sedicimila.

Alcune domande mi sorgono spontanee. Come fai a convincere tutti i colibrì a fare la cacca nello stesso posto? E poi, la maggior parte di loro la sgancia in volo, come fai a beccarla? Ci metti sotto Buffon a pararla? Metti i pannoloni ai colibrì? E hanno un bel dire: "Ne basta un'unghia". Certo, ma un'unghia di Nivea è un conto, una di guano di colibrì saranno almeno cento cacche di uccello!

Demi Moore, invece, dice che usa le sanguisughe, fa i salassi. Se le fa applicare in Austria in un centro specializzato. Praticamente prendono una sanguisuga, te la applicano sull'ombelico e questa comincia a morderti. All'inizio stai male come un cane, poi piano piano la sanguisuga comincia a gonfiarsi e tu ti rilassi. Alla fine della seduta, la staccano e la accoppano. Posso mandare un messaggio a Demi? Crudelia DeMon? Già che ci sei, perché non ti fai montare anche un alveare nel didietro? Vedi come si rassodano le natiche. No, ma capisci? Non siamo mica nel Medioevo!

Guarda che 'sta roba, fra un po', arriva anche da noi! Io già me le immagino le donne: "Amore, ma che pelle morbida e liscia, che viso fresco e riposato, che merda usi?". "Ciao Esther! Hai una pelle fantastica!" "Oh sì, Daisy, mi ha appena defecato in fronte un ramarro." "Ehi, cosa fai per avere una pelle così rosea, Dorotea?" "Io? Uso la Caghì, la cacca dei ghiri." "Che sopracciglia perfette, Olga!" "Lo so, chérie, le ripasso tutte le mattine con lo sterco di gallo cedrone, prova anche tu, è in comodi stick." "Ehi, Jessica! Dove vai così di corsa?" "Ho un calabrone nelle mutande che mi toglie i punti neri." "Beata te, io ho provato con un tafano nel body, ma la cellulite non mi è scesa di un grammo e oltretutto il tafano ha fatto il nido."

Fighitudine imperitura

Certo, a onor del vero esistono donne insignite della fighitudine imperitura. Che non è questione di bellezza, ma di stato di grazia che ti porti dietro finché campi, anche a ottant'anni e oltre. La fighitudine, alcune donne ce l'hanno e altre no. Io, per esempio, non ce l'ho.

Sono dotate di fighitudine quelle che si alzano dal letto come se fossero appena uscite dal parrucchiere. Io invece esco dal parrucchiere come se fossi appena scesa dal letto. Rendo l'idea? Sono quelle che si mettono una gonna sbrindellata, con l'orlo che pende e stanno da dio, e tu chiedi: "Ma dove l'hai comprata?". "Al mercato. Cinque euro."

Minchia che odio. Tu ti metti un tailleur di Armani e sembri la nonna della Gelmini. Somigli a quei parapioggia rivoltati dal vento. E col tubino sembri un gamberone.

Loro, oltretutto, sono debrufolizzate. Mangiano delle vaccate pazzesche e hanno sempre la pelle di pesca. Io sembro il panettone coi canditi anche se mangio un sedano bollito.

Io col ciclo ho delle occhiaie come Voldemort mentre loro fanno paracadutismo. Sono quelle che hanno mani lunghe e affusolate senza bisogno di unghie finte. Io una volta ho messo le unghie finte e sembravo uno di quei rastrelli di alluminio da giardino per tirar su le foglie. Quelle che, dopo aver fatto l'influenza, non appaiono sciupate, sono bianco perla. Se faccio io l'influenza, sembra che mi abbia masticato un mastino senza denti.

Quello che proprio mi fa iniettare gli occhi di sangue come una stampante a getto di inchiostro, quello che mi manda il sangue in aceto balsamico, è quando dicono: "Io però da piccola ero bruttissima e timida, ero proprio un rospetto". Certo. E adesso sono delle gnocche al vapore coi cosci da giovenca, le bocce che puntano nel reggiseno come due musi di cane che hanno snasato il fagiano e un derrière che parla tutte le lingue del mondo.

Non solo, sono pure alte due metri. Ma scusa, vorrai mica farmi credere che da piccola non si vedeva che saresti diventata una pertica? Che non avevi le manone e i piedoni già nella culla? E gli occhi? Non è che prima ce li avevi tinta guano e poi, speng, ti si sono azzurrati di colpo. Non lo noti a dodici anni se ti vengono dei respingenti da treno merci?! Cosa fanno le tette? Spuntano in una notte come i boletus satanas? "Eh... fino a dieci anni non avevo queste gambe così lunghe..." Certo, amore, le hai tirate fuori come il cavalletto della macchina fotografica. A dieci anni eri nana che non arrivavi a mettere il muso sul tavolo, poi una mattina, sdong, ti sei alzata e hai picchiato il cranio nel lampadario. E come mai allora la mia jambe c'est resté ragnette? Come mai a me non è sbocciato il culetto alto e mi è rimasto il bulbo del tulipano? Devo chiedere a Piero Angela? È perché ho una maturazione lenta? Tipo quella della tartaruga marina, che campa duecento anni, per cui a quarantotto non mi sono ancora sviluppata?

Vacche magre

Tempi di vacche magre, di mucche taglia 38. Moma, Monti Mario, non fa che ripetere che dobbiamo risparmiare. Persino alle Olimpiadi l'uomo del Monti ha detto NO. Anche se il motto delle Olimpiadi è: "L'importante è partecipare" Monti ha detto: "Me ne fotto, io quei soldi non li spendo...". E, rivolgendosi al CIO, ha continuato: "Grazie, ma riusciamo a fallire da soli senza bisogno delle Olimpiadi". Secondo me non si tratta nemmeno tanto che sono finiti i soldi ma che sono finiti soprattutto gli imprenditori perché dopo L'Aquila, i Mondiali di nuoto e i lavori per il G8 della Maddalena non ce ne sono più, sono tutti inquisiti. Insomma, Mont Saint Michel ha spiegato: "La corsa a ostacoli la stiamo facendo tutti i giorni e non ci danno nemmeno la medaglia". Bon. Fine. Chiusa la pratica. Alemanno l'ha presa malissimo. È diventato nero com'era negli anni Ottanta. Certo per lui è un periodaccio, gli ultimi anni sono stati difficili, gli è andato tutto storto. Prima è rimasto sepolto dalla neve, poi gli hanno levato le Olimpiadi, gli manca solo che gli UFO scelgano la capitale per cominciare l'invasione terrestre.

Un po' c'era da aspettarselo, che Monti dicesse no alle Olimpiadi. Mont Blanc non dà l'idea di essere uno sportivissimo. È più da traduzione di Cicerone che da palestra. Se gli dai un cinque si piega in due come una cannuccia. Te lo vedi Monti in palestra col sospensorio e la canotta che grida "sprreeeead" ogni volta che alza il bilanciere e si asciuga il sudore nell'asciugamanino con stampata la faccia della Merkel?

Comunque lui sta già dando il buon esempio: non ha voluto l'aereo grosso e ha preso quello piccolo. Perfino voi uomini, ogni tanto, capite che non contano solo le misure. Adesso, per andare e venire da Bruxelles, si vuole mettere d'accordo coi camionisti che trasportano i cavolini. Ha dichiarato che fra un po' persino le guardie del corpo non gli serviranno più perché sta andando a scuola di judo. Secondo me Mario è uno che mangia la pera come Pinocchio, con tanto di buccia e semi. È uno che conta gli strappi di carta igienica. Non più di tre. Se va bene ok, se no fa la manovra aggiuntiva col bidè. Adesso vorrebbe usare delle macchine blu italiane ma gli hanno detto che non ce ne sono. Solo BMW e Mercedes.

Appello a Marchionne. Sergio? Sergej? Cortesemente? Oltre a tritare le balle ai sindacati, se hai tempo, potresti costruire qualche automobile figa che non sia un'utilitaria? Non è che questi qua li possiamo far girare in Panda o sbergnaccarli dentro una 500. Ci vuole l'ammiraglia per l'ammiraglio. Inventati qualcosa. Un piccolo aiuto: la devi fare lunga, grossa e dura almeno quanto sei cazzuto tu con gli operai.

Ad ogni modo, una fisima ce l'ha anche Montone. Ha detto che non gli piaceva la sala stampa di palazzo Chigi. E, in particolar modo, la copia del quadro del Tiepolo, *La verità svelata dal tempo*. Ovviamente il Marione può fare quello che gli pare, adesso il capo è lui, può anche levare il Tiepolo e metterci una natura morta su sfondo grigio, che mi pare il suo genere. Di certo non gli piaceva la Verità senza veli, quella con la tetta di fuori, che Berlu fece velare per un attacco improvviso di incoerenza.

Che tipo Berlu! Quando era ancora lui al comando, appena finiva di combinarne più di Bertoldo a corte, si metteva a rivestire opere d'arte. Pensa che elemento. *Faceva* – guarda, come son contenta di usare l'imperfetto –, faceva levare il reggiseno alle donne vere e poi lo metteva a quelle dipinte. Montone invece preferisce il contrario. Le statue le vuole biotte e, se ci fosse necessità, le mutande le metterebbe alle escort. Che giro di boa.

Al contrario di Berlu, che una volta è andato in fissa perché voleva dare una botta nuova all'arredamento di palazzo Chigi. Solo che, tra la crisi di governo, il fatto che doveva andare a Seoul, l'inondazione di Vicenza, e la spazzatura di Napoli, non aveva avuto tempo di andare all'Ikea. Però gli era venuta un'idea. Aveva pensato bene di farsi portare due statue romane da una tonnellata e mezza l'una, Marco Aurelio e sua moglie Faustina, lui con le fattezze di Marte e lei di Venere. Trasferiti dal Museo delle Terme di Diocleziano a palazzo Chigi appunto. Sai, a palazzo Chigi non è che puoi far dipingere un murale o piazzare i faretti sul soffitto... devi mettere qualcosa di artistico. Inizialmente il sire aveva pensato a sette nani di marmo e a Biancaneve in posizione da bunga bunga, così, per strappare un sorriso e alleggerire; poi ha pensato di tenersi più sul classico e ha fatto trasportare 'sti due trumoni di marmo. Poi quando sono arrivati lì... tragedia. Ha visto che alla Venere mancava una mano e a Marco Aurelio mancava nientepopodimeno che... il walter. C'aveva gli amici di maria ma al posto del walter un buco. Caaapirai, partito l'embolo, ha cominciato a dire: "Ma come? Uno senza pisello da me? Da Bondi lo posso capire, da Buttiglione pure, ma da me no, eh?". E quindi? Quindi prima li ha girati di schiena, perché non riusciva assolutamente a vederlo 'sto buco nero... però non andava bene. Scusa, per uno che dichiara: "Meglio essere appassionato di belle ragazze che essere gay", mettere un didietro in bella vista è un'onta. Fa disordine. Pensa che ti pensa, ha telefonato a quelli dei Beni culturali e ha chiesto: "Scusate, potete cortesemente fare una minchia?". E quelli hanno subito risposto: "È ben già quello che facciamo, non ha visto a Pompei? Sono venuti giù i muri proprio per quello". "Non ne avete uno in magazzino, di walter?" "Abbiamo quello del mulo di Sansone, è troppo?" "Dipende... Quant'è?" "Ottanta centimetri." "No, troppo... Non c'è nient'altro?" "Abbiamo quello di riserva del *David* di Michelangelo." "Per carità è uno stuzzicadenti..." "Non ce l'avete una via di mezzo? Una roba alla Balotelli?" "Ma è nero, presidente..." Insomma, se l'è fatto costruire apposta. Chissà, avrà consultato qualche rappresentante che è arrivato col catalogo: "Vede, presidente, partiamo da quelli mignon da tre centimetri fino a questi modelli della linea Rocco Siffredi, che sembrano dei kalashnikov...". Insomma, crollano le case a Pompei, ma si ergono i walter a palazzo Chigi... Tra l'altro non si può, non è che si possono aggiungere così a cacchio (è il caso di dirlo) robe che non ci sono... No, perché, se parte 'sta moda qua, è un attimo che si rimettano le braccia alla *Venere di Milo* e si allarghino le spalle al *David* di Donatello che ce le ha strette che sembra Jude Law... E che se ne è andato, se no era capace, se gli partiva la briscola, di piazzare al Colosseo gli infissi di alluminio anodizzato e le finestre scorrevoli...

La Carlà operaia

Parlapà. Carla Bruni dice che non è più di sinistra. Posso dire? Minchiazza! Peccato! Pensa che io avevo un suo poster vicino a quello di Marx e Che Guevara e ho dovuto toglierlo. Vi dirò, un po' me l'aspettavo. D'altronde che non avesse sposato un tornitore di Mirafiori ce n'eravamo accorti. Comunque, dommage! Peccato! Perso anche l'ultimo voto. La sinistra, intendo. Domanda: adesso che Carlà non è più di sinistra, Berlu la inviterà alle feste a suonare la chitarra con Apicella?

Altra domanda: l'avete vista ultimamente? Anche se invecchia, è sempre più gnocca. Ho osservato le foto. Inossidabile. Poi quello che in lei non cambia mai è quell'espressione sempre uguale, sai, con l'occhio un po' a mezz'asta che ti guarda dall'alto in basso quasi dicesse: "Piacere io sono la Carlà, e voi siete delle m...".

Tra l'altro, in un paesino della Francia, che si chiama Nogent-sur-Marne, hanno pensato di dedicare una statua alle operaie italiane che hanno lavorato lì nella fabbrica di piume. E indovina di chi è la faccia dell'operaia? Della Brrr, della Brrr, della Bruni. I piccioni hanno commentato: "Finalmant un post invitant dov defecher". Come si dice piccione in francese? Pisciòn? Pisciòn viaggiateur? Insomma, la statua dell'operaia ha la faccia della Bruni.

Posso fare una domanda? Cosa minchia c'entra la Carlà con le operaie? Che l'unico lavoro manuale della sua vita è stato darsi lo smalto sulle unghie? La Carlà faceva la saldatrice, quando non sfilava? Era di umili origini e ha conosciuto Nicolas all'ufficio immigrazione?

La cosa più bella è come si è giustificata Carlà. Ha detto: "Eh, l'hanno fatto a mia insaputa... L'han fè a ma insapù". Capisci? La figlia di Scajola! Del resto, certo, capita a tutti. Io non faccio altro nella vita che posare per statue. Così, senza chiedermi perché. A volte son lì alla fermata del tram e non mi accorgo che qualcuno mi scolpisce. Ma scusa, Carlà? Carlona? Carluccia? Tu posi per una statua senza domandarti a cosa serva? Non chiedi neanche: "Dove la metterete?". Tipo davanti all'Eliseo? Al Louvre? A presidio di una discarica? Serve da fermo per far deviare le vacche mentre vanno al mattatoio? Ma in Francia sono balenghi? Allora cosa dobbiamo fare noi, una statua con la faccia di Lapo in onore degli operai della Renault?

Intimissimo

Rivolgo un appello a tutti gli ideatori delle pubblicità. A quella gente genialissima che si inventa cose sublimi, come il tizio appeso all'autobus perché ha fatto il tal conto in banca, o quello che pensa che i delfini siano curiosi, i cavalli golosi e i gorilla si inciucchino di aperitivi.

Cortesissimamente, la potete piantare di fare 'sti spot dell'intimo femminile dove le donne sembrano scilindrate nella testa? Deflagrate nel cranio? Degli esseri col cervello di un'orata che si svegliano al mattino e vagolano con le chiappe al vento andando avanti e indietro come confuse dalla labirintite e sperse in casa loro? Delle povere mentecatte che non fanno altro che passare davanti agli specchi col culo di fuori? E che poi aprono il cassetto della biancheria e hanno ottantadue reggiseni tutti perfettamente impilati, come le cartucce nella giberna, con quei colori tipo banana quasi marcia, rana schiacciata da un TIR, beige denti di Moratti, tutti perfettamente in ordine, mentre nella vita vera di solito trovi un groviglio che se ne tiri su uno viene fuori tutto il gregge? Tiri l'elastico e salta su anche la sorella culotte o il fratello tanga. Loro, invece, trac, ne tirano fuori uno e lo guardano. Ma cosa guardi? È un reggiseno. Non vedi che ha due otri davanti? Vuoi provare a metterteli come occhiali? Prova! Esci così e se ti stirano non fai un soldo di danno alla società. Poi finalmente lo indossano... impiegandoci mezz'ora. E tirano e mollano e si accarezzano e si sfregano... Cominciano a infilare un braccio con delle mosse da lussazione della spalla.

Ma lo vogliamo dire una volta per tutte? È quando te lo togli davanti a un uomo che fai tutte 'ste stirubacule, quando te lo metti al mattino da sola no. Al mattino, che sei già in ritardo, che con una mano ti lavi la faccia, con l'altra ti dai il rimmel, infili le scarpe scalcagnandole fino a che il tacco non si piega in due, a indossare il reggiseno ci metti due secondi netti. Fric fric frac. Fine, stop. Non è che ci metti mezz'ora e poi, quando hai finito, ti guardi stupita allo specchio. E cosa guardi, di grazia? Se hai ancora due tette o te ne è cresciuta una in più nella notte? Non è che le tette subiscono delle mutazioni sostanziali, al limite scendono un po' giù, calano inesorabili come le pigne dei cucù. Al massimo le devi cercare un po' più in basso.

E poi le donnine degli spot, alla fine, ballano. Capisci? Ballano. Come Natalia Titova. Ma che cacchio ballate? Siete delle badole? Che poi sudate sotto le ascelle ancora prima di uscire! Alle sette di mattina ballate? Siete da neuro, vi devono rinchiudere in modo che non vi facciate del male.

Il momento che odio di più al mondo, che quando lo vedo mi fa andare la bile agli occhi – diventano verdi come quelli dei gatti –, è quando si mettono l'indice sulle labbra e fanno la faccia da furbine. Perché??? Al limite fai così col dito per controllare se le gengive sono infiammate o per bagnarti l'indice se giri la pagina del giornale. Non è che qualsiasi cosa sottile e allungata deve farti pensare a quello. Cosa fai, con 'sto dito? Senti se ti è scoppiato un labbro rifatto? Con quella faccia lì, non siete sexy. Siete solo tanto, tanto sceme.

Il bandolero stanco

Attenzione, attenzionissima. Spalancate le orecchie, cari galletti Vallesfiga. Arriva la caramella dell'amore. Il Viagra sta passando di moda. È vero che lo ingoi e fran, sbuca il palmizio nel deserto, sorge l'asparago sul terreno calcareo, cresce il prodotto esterno lordo, però pare che sia imbarazzante da prendere. Cioè, il settantenne disfunzionato che vuole ciupaciupare con la venticinquenne e si ingolla il pastiglione davanti a lei, mette nella lieta giovenca una bava di imbarazzo. Per fortuna tra un po' arriverà questa nuova caramellina che si succhia. Sembra una Golia o una Ricola, invece è lei. L'uomo che prevede la grande cilecca non ha che da tossicchiare e dire: "Ehm, che tosse, prendo una caramella...". L'unico rischio è che lei chieda: "Me ne dai una?". E lui sarà costretto a rispondere: "Eh no, minchia, non te la do, mangiati le tue". Comunque, state attenti che questa, ripeto, si succhia. Mi raccomando, non masticatela se avete una certa età, perché vi si gonfia il walter ma si spacca la dentiera. E poi bisogna prenderne con moderazione perché rischi che dalle braghe ti salti fuori un silos blu di quelli in cui mettono dentro il grano.

Tra l'altro, ho sempre una domanda da fare: ma cosa succede a una donna se prende il Viagra? Così, per curiosità. Se, per sbaglio, ne mangio una, io, donna, muoio sul colpo? Mi viene la chierica? Mi spunta il pisello? Mi scendono le tette all'altezza degli amici di maria?

Andiamo avanti. Sempre nel campo del soccorso walter, entro breve si potrà contare anche su un veleno. Il veleno del ragno banana. Esiste, giuro! Un destino nel nome, il suo: "ragno banana". Non c'è il "ragno fagiolino". O il "ragno lumaca". "Banana." Che promette già bene. È uno dei ragni più velenosi che esistano, misura quindici centimetri e si annida nelle piantagioni di banane. Si è scoperto che il morso di questo ragno provoca irrigidimenti di walter di lunga durata. Peccato che, tra gli effetti collaterali, ci sia una sorta di irrigidimento generale. Cioè diventi tutto rigido. Si irrigidisce lui ma anche il resto. Ti si solleva l'ambaradan ma praticamente diventi una statua. Un Pinocchio a naso basso.

Certo che siete strani, voi uomini. Pensate davvero che noi donne andiamo giù di testa se ci troviamo davanti un bestione infoiato, che però non riesce nemmeno a sdraiarsi nel letto per quanto è rigido? Una roba normale no? Tra il niente assoluto e un obice sul punto di esplodere, basterebbe una via di mezzo.

Comunque, io mi chiedo: se gli studiosi dedicassero un quarto delle energie che riservano alla disfunzione del walter alla disfunzione cerebrale, non potrebbero inventare una pillola che il maschio prende e per due ore ragiona? Così, tanto per provare, eh?

Bobinet, il gabinetto per cani

Una notizia bislacca che parla di cacca. Il sindaco di Capri, tale Ciro Lembo, stufo marcio dei marciapiedi moquettati dalle deiezioni dei cani, ha fatto un'ordinanza municipale dove ordina di prelevare le cacche incriminate e farle analizzare per estrapolarne il DNA e poi multare il padrone, previo prelievo di sangue sia del cane sia del padrone. Tutto questo ovviamente per risalire al legittimo proprietario.

Ma ti sembra una cosa comoda? Costa meno targare i cani e mettere delle telecamere nella zona blu. Poi, tra l'altro, Capri è piena di turisti. Che fai? Il prelievo del DNA sull'aliscafo? Comunque, io lo capisco Ciro. È un problema mica solo di Capri. A Torino abbiamo marciapiedi che sembrano piste di minigolf, collezioni di sacher di diverse misure... e lo dico da proprietaria di cane, anche se il mio cagnino fa delle praline. Le cacche di Gigia sono delle Saila, hai presente? Più piccole ci sono quelle dei topi, le Tabù. Ma se poco poco hai un alano, quelli colano dei bronzi. Fanno dei mandorlati da un chilo e mezzo. Dei capitelli di quelli dove ormeggiano i traghetti della Tirrenia.

Mi fanno impazzire quelli che dicono: "Io non la

raccolgo perché mi fa schifo". Eh certo, invece a noi che la raccogliamo piace sentire sotto le dita il tartufòn. Proviamo un piacere sensuale, come accarezzare la seta o il petalo di una magnolia. Tra l'altro, non sempre i cani fanno delle robe prendibili con un colpo solo. A volte ti sembra di tirar su del purè di fave. Poi a noi piace molto anche pestarla. Io scendo apposta di casa la mattina presto per saltare sulle merde di cane. Mi metto addirittura le scarpe col carrarmatino per portarmi a casa un souvenir. Un porte-bonheur. Esco e vado subito a pattinare su quel metro e mezzo di lava fredda di labrador, quella che regala al ciclista di passaggio un altro motivo per tornare a usare la macchina. Le mie preferite? Quelle sotto le foglie dei platani, che ci metti il piede sopra, la foglia fa da skate, e tu ti trovi alla posta senza neanche passare dal via. Che a volte, se non ti dai il colpo di reni, coi cani colitici, rischi che ti parta la rotula.

Comunque, i cani che fanno la cacca sono molto divertenti. No, perché non è come per noi, che quando ci scappa andiamo in bagno e sappiamo già dove farla. Loro no, loro devono cercarlo, il posto, il loro water. E cominciano a girare e girare come dervisci. Se hai il guinzaglio telescopico corrono intorno a una pianta finché si impiccano e fanno la cacca al culmine dello strangolamento, funziona un po' come il tubetto di dentifricio... Quando arriva il momento giusto, si mettono in posizione lancio e fanno una faccia... Hai presente i concorrenti dei quiz prima di rispondere alle ultime domande? Con le cuffie in testa, concentratissimi? Alcuni invece si atteggiano da cani distinti. Ti guardano come a dire: "Penserai mica che io stia facendo la cacca? Ma non credo proprio. Sto così, col culo arcuato, perché è una mia personale posizione yoga". Altri cani, io ne ho avuto uno così, Alì Bau Bau, sono creativi. Si mettono in verticale. Si sollevano sulle zampe anteriori e la fanno su per i muri. Non vi è mai capitato di vedere delle cacche appese al muro? Ci sono cani che hanno quel vizio lì. Di farla in evoluzione, due zampe a terra e due appoggiate al muro, come gli acrobati del circo di Mosca. Manca solo che salgano uno sulle spalle dell'altro per far popò sulla prima finestra.

A Merano, però, hanno trovato la soluzione. In questa ridente cittadina del Trentino, in questo posto così per bene, tutto pulito e lindo, hanno inventato il Bobinet. E che cos'è il Bobinet? Un nuovo modello di bob? Un formaggio coi vermi? Uno sport estremo? No, siete fuori strada. Il Bobinet è uno speciale gabinetto per cani. Così come c'è il vespasiano per gli uomini, c'è pure quello per cani. Solo il vespasiano femminile non esiste. Noi donne, la pipì, non la facciamo, la donna non emette orina, non è orinante. Noi la evaporiamo. Nei bagni da giardinetto la donna non è presa in considerazione, è l'uomo l'unico essere considerato pisciante.

Dicevo, a Merano c'è il Bobinet, un gabinetto pubblico per cani. Lo dice la parola stessa: *Bobi*, nome di cane, e *net*, pulito. Bobi-net. Lo potevano anche chiamare Fido-ces o Caga-can. O, se possono andarci anche i randagi senza padrone, il Salvalamerdabaubau. È costato tra i venti e i venticinquemila euro, ed è in pratica una casetta di acciaio e plastica con, all'interno, un sistema di scarico autopulente. Il cane dovrebbe entrare in questa meravigliosa toilette tutta per lui e fare una cacca di gran class, lasciando le strade e i marciapiedi lindi e puliti. Peccato che tutto ciò non sia possibile. Ve lo dico io. Perché i cani, amici cari di Merano, non la fanno a comando. Non c'è verso. Il cane è animale, fa la cacca quando gli gira. Già l'uomo è volubile. C'è chi la fa tre volte al giorno, chi stenta, chi si porta da leggere... Figurati le bestie.

Sai quando ama andar di corpo il cane? Mentre attraversi sulle strisce pedonali. E di solito quando il semaforo sta per diventare rosso. Tu tiri e lui frena. Punta le zampe. Il semaforo diventa rosso e lui comincia a sganciare il primo stadio del missile a centro incrocio, tu lo trascini via, gli rompi l'armonia della creazione, e l'opera viene frammentata...

Ve lo dico per esperienza. Non è che lo porti in bagno, gli dici: "Caga, amore..." e lui va. Almeno, i cani normali non si comportano così. Può succedere coi cani poliziotto, che sono disciplinati, coi pastori tedeschi, sitz... platz... strunz!, e lui fran. Poi, se a Merano avete cani costruiti dai giapponesi, collegati a un computer, che fanno la popò a comando, allora basta dirlo.

E poi dentro al Bobinet cosa c'è? Un water per cani? Ma i cani hanno altezze troppo diverse fra loro: a culo di carlino non corrisponde quello di alano. Se la tazza è ad altezza di schnauzer gigante, lo yorkshire la deve fare come se giocasse a basket, verso l'alto, puntando il canestro. Oppure sono gabinetti alla turca, ma con quattro solette, una per ogni zampa... E dopo il bisognino? Partirà il solito scarico che ti lava fino al ginocchio? Lo sai che fine può fare un chihuahua? Un colpo di scarico automatico e te lo trovi sparato nel delta del Po.

Una Tantum

L'avete vista? No, dico, l'avete vista? È tornata a grande richiesta la pubblicità del Tantum rosa con la tipa che arriva trafelatissima all'incontro di bagiane per via della solita grattarola al fulcro dell'amore. È passato un anno e 'sta disgraziata è ancora lì a grattugiarsi il dolce bersaglio, a scartavetrare la lupa de lupis. A smarmigare la gattoparda. Cosa che, per altro, noi femmine non facciamo mai a differenza di voi maschi che siete sempre lì che vi fregate la lampada di Aladino senza che per altro venga fuori nessun genio. Insomma, dicevo, lo spot è lo stesso: lei, con l'agitasiùn, usa la pozione magica e, alla fine, balla la lambada. E così si capisce che la jole non è più un problema ma torna a essere una risorsa. Però, però però... C'è una piccola novità: lo spot è lo stesso, è vero, ma compare sullo schermo una pecetta in diagonale che dice NON BERE. E subito dopo un'altra, con su scritto USO ESTERNO.

La riflessione sorge spontanea: se hanno dovuto aggiungere la scritta NON BERE, vorrà dire che in parecchie se lo son bevuto, che per curare il prurito alla jolanda, si sono fatte una media di Tantum. Invece di sciogliero nell'acqua del bidè si sono tracannate una pinta di Tantum rosé.

Ho controllato ed è andata esattamente così. Sono finite tutte all'ospedale. Capisci? Pensa ai discorsi fra amiche: "Lorena? A te ha fatto bene il Tantum rosa?". "Ma guarda, ne avrò bevuto una cisterna... e mi gratto sempre come un gratta e vinci..." "Anch'io. Me lo porto nella borraccia, eppure..."

Posso fare un appello? Voglio parlare a quelli della Tantum. Ma scusate, amici, dovete proprio fare le bustine uguali a quelle dell'Agruvit e del Fluimucil? Per forza, poi, ci dovete scrivere NON BERE! Amici del Tantum, tantutissimi, tatù? Vi spiego: noi ormai siamo abituati in un certo modo con le medicine. A seconda di come sono confezionate sappiamo come si usano. Col gel ci si lava le mani, se la medicina è in tubetto si spalma, e se è in bustine si scioglie in acqua e si tracanna. Per dire, non ho mai visto fare supposte a forma di caramella da scartare, perché altrimenti sulla confezione devi poi scrivere necessariamente PER CULO!

Amici del Se Tantum Mi Dà Tantum, se proprio lo volete fare in polvere, mettetelo in fustino, tanto noi donne siamo abituate coi detersivi in polvere, ed è difficile che lo beviamo. Ci viene spontaneo prenderne un misurino, sciogliero nel bidè, aggiungere l'ammorbidente e darci un giro di centrifuga... Altrimenti, amici del Tantum rosa e Tantum verde? Inventate un prodotto che vada bene per tutto, dal mal di gola al prurito. Un prodotto che tu lo bevi una volta e sei a posto per ogni orifizio di cui ti ha dotato la natura. E ho già in mente un'idea per il nome: Una Tantum.

Contro il down del Jones

Se la Lega ce l'ha duro il resto del mondo pare proprio di no. Purtroppo c'è una consistente parte del mondo maschile che, in certe occasioni, fa lo sguardo di Bondi davanti al crollo di Pompei, e una consistente parte del mondo femminile che, davanti al disastro, mette su la faccia di Hillary mentre vede il video della cattura di Bin Laden. Con la mano sulla bocca. Quindi, ancora una volta, parliamo un po' della grande depressione del walter, del down del Jones, disquisiamo cioè del dramma del walter che spesso c'ha la densità del bastoncino di pesce scongelato da ore.

Stavolta, però, vi do una lieta novella. Da adesso in avanti niente paura, amici della gommapane, perché una società biotecnologica britannica ha inventato, udite udite, il preservativo al Viagra. Vogliamo far partire un applauso? Ci scambiamo reciprocamente un segno di pace? Con questi allegri condom, che sono pure multicolor come i pesci del Mar Rosso, il problema dovrebbe essere definitivamente superato.

E come sono fatti questi ultimi ritrovati della scienza? Hanno le sponde come i biliardi? Sono di plastica dura come le manopole del calcio balilla? Sono come i cannocchiali, che si allungano alla bisogna? No, contengono un gel speciale a base di Viagra, che dovrebbe incentivare il sostegno tenendolo lì, ben fermo, durante e dopo la messa in posa. In pratica, il gel crea una specie di ingessatura, tipo i gamboni che ti mettono quando ti spacchi il piede, una custodia rigida, simile a quelle dei violoncelli, o degli ottavini, dipende. Diciamo che consolida, un po' come la colla di pesce nei dolci.

C'è un problema però: in che momento te lo infili? Lo fai quando il walter è nella fase dell'insostenibile leggerezza dell'essere, dico? Usi la paletta per il gelato? Il calzascarpe? E ancora: il Viagra in pastiglia va preso un'ora prima. Per il profilattico, come ci si regola? Che basta che lo infili e, sbeng, magia, si gonfia all'istante come il latte sul gas, che basta che ti giri un attimo ed esonda, tipo il doppiopetto di Berlusconi, che quando lo indossa, sembra largo il doppio? Quanto ci mette? Due giorni come la scagliola, o mezzo secondo come il rimmel per le ciglia? Comunque sia, ha già un bel vantaggio rispetto alla pastiglia. Quella devi prenderla sulla fiducia, però, poi, nel frattempo, può succedere qualsiasi cosa. Se chiama il commercialista o la tua compagna cade dai tacchi e si sloga una caviglia, va sprecata. Invece se sei già al preservativo vuol dire che sei in dirittura di arrivo.

Insomma, ci sono vantaggi e svantaggi, però c'è ancora un piccolo problema: questo gel indurente sembra che, in molti casi, danneggi il lattice di cui è fatto il condom, lo tarla, tipo. Gli fa i buchi come il piffero, per cui potrebbero esserci fessurine, fughette, strappi, buchi e smagliature che favoriscono la moltiplicazione della specie. Insomma, ci divertiamo di più ma siamo meno protette. Se non dovesse funzionare, si può sempre provare con il gel per i capelli. Se fa stare dritte le creste dei punk, funzionerà anche col povero walter, no?

La jolanda con la permanente

Fine anno, tempo di calendari. Chissà quali novità ci scaraventerà addosso il mercato? Un remake del calendario delle jolande di Oliviero Toscani? Sai che Olly qualche anno fa aveva pensato bene di fotografare una dozzina di jolande nude e crude. Dodici foto di tope sapiens, una per ogni mese dell'anno. Un calendario di pubi, insomma. Ma poi si dice pubi? Il plurale di pube, intendo... E sai per quale marchio Oliviero aveva fotografato le nature nature? Per sponsorizzare il Consorzio Vera Pelle Italiana Conciata al Vegetale. Secondo me come foto erano più adatte a sponsorizzare pennelli da barba o i criceti canadesi. Olly, va bene che sei creativo, ma se parlando di "vera pelle conciata" ti è venuta in mente la jole, per un formaggio coi buchi cosa avresti fotografato? Comunque, erano dodici jolande linde e pinte e per nulla volgari, tutte carine, qualcuna sembrava perfino con la permanente, una ricordava addirittura la chioma di Giovanni Allevi. Ma, perché c'è un "ma", la signora Maria Federica Giuliani, presidente della Commissione per le Pari opportunità del Consiglio comunale di Firenze, voleva ritirarlo dalla circolazione perché secondo lei avrebbe offeso le donne. L'amara Giuliani. Io non sono d'accordo. Personalmente, trovo molto più lesive della dignità della donna altre cose, quello che sta succedendo nei palazzi del potere in questo periodo, per esempio; o certe conduttrici televisive che sventolano tette e didietri anche quando presentano un programma sulle minoranze copte in Puglia o lo speciale sulla fisarmonica Farfisa. La Giuliani aveva anche aggiunto che le jolande non erano né rasate né depilate, come se fosse un'aggravante. Ma cosa vuol dire? Che se Toscani le fotografava dopo una ceretta brasiliana erano meno inquietanti? Una jolanda nature non è oscena, lo diventa nei calendari dove le pose sono volutamente provocanti per piacere ai maschioni. L'unica perplessità è che, dopo un po', questa sfilza di pubi tutti uguali li trovo un po' noiosi. Come distingui marzo da novembre? Aprile da dicembre? Potevano almeno variarle un po' a seconda dei mesi: a gennaio la jolanda sotto la neve, a febbraio coi coriandoli, a marzo con la mimosa, in aprile con un pulcino nascosto nel pelo, e a Natale una jolanda con le sue due belle palline, con l'effetto Eva Robin's.

Una cosa è certa. Tornerà il calendario Pirelli. E dentro cosa ci sarà? Foto di ombrelli? Tombini? Pneumatici? Pirilli? Non sarebbe male: "I pirilli del calendario Pirelli". In quello dell'anno scorso c'erano venticinque foto di donne nude. Pensa te, chi l'avrebbe mai detto? Nota che i mesi sono solo dodici: o i mesi dell'anno scorso, per risparmiare, erano di quindici giorni, o non capisco. Comunque, in quel calendario lì c'erano tutte immagini di donne bellissime e nude: Milla Jovovich, Kate Moss, la nostra Margareth Madè. Il fotografo ha spiegato che quei nudi rivelavano l'anima. Posso dire? Se una è nuda, prima di tutto rivela qualcos'altro. A meno che l'anima non sia una cosa scura a forma di brioche, cosa di cui dubito. La cosa più bella è che il fotografo ha raccontato che per convincere la Madè a spogliarsi ci ha messo mezz'ora. Allora... Margareth? Parliamoci da uomo a uomo. Vai sul set di un calendario Pirelli, sono tutte nude, siete in spiaggia. Che cosa pensavi che ti facessero fare? La foto per il passaporto? Che ti chiedessero di spogliarti per farti una TAC?

La vera novità di questi ultimi tempi, però, è stata il calendario delle Barbie. Che non è un calendario normale. Trattasi del lesbo-calendario della Barbie, della Barbie lesbica: dodici mesi di foto di Barbie nude in pose provocanti. E a quelli della Mattel è partito il plafond. Loro, la Barbie, possono farla restare fidanzata per cinquant'anni con un uomo che dentro i pantaloni non ha assolutamente niente, ma se qualcuno, preso a pietà, la mette in condizione di consolarsi con una consorella scagliano fulmini. Intanto tocca capire se esiste qualcuno al mondo che possa eccitarsi vedendo due Barbie accatastate una sull'altra. Già una sola fa pensare a due bastoncini per il sushi con la parrucca... Poi, per carità, voi uomini siete perversi forte. Vi eccitate guardando certe tette che sembrano espiantate da una mucca frisona, vi potrebbe anche partire l'ormone con due Barbie, che se le sfreghi una contro l'altra servono per accendere il fuoco... Certo, perché non è che facciano grandi cose 'ste due. Con le mutande di plastica, le tette senza capezzoli e il culo senza chiappe, le possibilità di fare sesso sono infime. E poi le pose sono piuttosto assurde. D'altronde, lo sanno tutti che le Barbie nascono già con l'artrite e che per loro piegare il ginocchio è un'impresa. Neanche un bacio si danno, dopo tutto la lingua non ce l'hanno, il che, fra l'altro, per due che volessero darsi ad attività lesbo è un deterrente non da poco. Ora aspettiamo con trepidazione il calendario dei Ken e Big Jim omosessuali. Tanto il walter non ce l'hanno, e pure loro potranno fare poco.

Le ossessioni di Giò

Tocca spendere due parole su Giovanardi. A me dà sempre tante soddisfazioni quell'uomo lì, perché quando c'è da dire una boiata non si tira mai indietro. Hai sentito cosa ha detto Il favoloso mondo di Nardi? Ha detto che un bacio tra due donne è come vedere uno che fa pipì per strada. Dà fastidio. Sai cosa Giò? Anche vedere te a me dà fastidio, pensa, anche se non fai pipì.

Deve trovare un analista molto bravo che se lo prenda in cura, e in fretta, altrimenti, con questa ossessione dei gay che si ritrova, finirà come Tony Perkins in *Psyco*, e andrà in giro vestito come sua madre ad accoltellare omosessuali.

Cioè, fammi capire, Giò, tu vedi due che si baciano e uno che fa pipì e per te è la stessa cosa? Se non hai gli occhiali è la stessa cosa! Se hai bevuto la grappa al posto del Gatorade, se hai fumato della robetta che fa vedere le magie, Giovannone Coscialunga. Perché se no tra due che si baciano e uno che fa pipì di differenze ce ne sono, eccome. Giova, per aiutarti a distinguere, ti agevolo: se da lontano vedi una massa confusa da cui spunta come un rubinetto aperto, novanta su cento è uno che piscia. Se invece vedi una persona attaccata alla bocca di un'altra, esistono effettivamente più possibilità: che stiano facendo respirazione bocca a bocca, che, vista la miseria, abbiano un solo apparecchio per raddrizzare i denti e lo usino in contemporanea, o che si bacino. Lui sostiene che ci sono problemi di batteri, che certe pratiche possono causare malattie. Un bacio? Ma Giovannone!? Non è che tutte le volte che ti baci ti contagi, se no saremmo tutti malati.

Questo qua non è dello stesso partito di Berlu? E com'è possibile? Fatti dare delle ripetizioni dal Re Leone, Giovannuccio... Ti fanno schifo due che si baciano? A me fa schifo il fegato al burro, il pelo nell'insalata e i preti che danno i sacramenti ai mafiosi. Rompo io, per questo, le balle a tutti? No! Ecco, fai così anche tu. Se ti dà fastidio, quando vedi due donne che si baciano, vai a casa e nel tuo intimo compi atti di autolesionismo: bastonati con la ramazza, fatti una bella polenta e sedativi, e ulula alla luna come Ezechiele Lupo, ma non ci scassare più.

Le smutandate

Non so se lo sapete ma è partita una nuova moda: quella di "immortalare" le dive dal basso verso l'alto, evidenziandone l'intimo (o l'assenza di intimo). Eh sì, perché tra le pupe trendy e le ocone fashion va di moda andare in giro senza mutande ma coi vestiti corti. E tendenzialmente farsi fotografare. Il nulla e, sotto, pelata come una nespola, neanche un filo di tanga né il tappo del Berlucchi come salva spifferi né un paio di collant di catrame. Zero.

Vediamo i lati positivi: se non altro, non devi sempre stare lì a tirarti su e giù le mutande, che per qualcuna è un lavoro che spezza le braccia. L'obiettivo è uno solo: che qualcuno intraveda la jole e si chieda: "Ma è senza mutande?". Fine dell'obiettivo.

Pensa d'inverno: la mattina sali in macchina e c'hai già il parabrezza gelato, figurati la jolanda. Che shock termico, dalla trapunta alla steppa... Da venti gradi a due. Devi sparare a mille il getto dell'aria calda per scongelarla. Forse le dive americane si portano dietro il fon e ogni tanto la sbrinano. Bisognerebbe dire a Marchionne di mettere nei cruscotti anche il disegno della jole per orientare il bocchettone dell'aria calda.

Comunque, da Sharon Stone a Britney Spears, da Lady Gaga a Paris Hilton, sono tutte smutandate. Tutte premi Nobel di furbizia tra l'altro, perché non è che a praticare il genere sono la Merkel o la regina Elisabetta. E tutte fotografate mentre, op, accavallano le gambe o scendono dall'auto. Capisco ancora l'accavallamento: lì devi essere capace. Io quando accavallo le gambe sembro una mucca che sbatte la coda, pataflap... C'è chi accavalla con garbo e chi, come me, con disagio. Mi spiego: nel farlo un ginocchio deve passare sopra all'altro, i miei invece sbattono. Io non accavallo, suono le nacchere con le rotule, ecco. E poi, per scendere dall'auto, capirai, già devi fare le stirubacule, c'è uno storcibudella, un girolimoni, un tourniquet che non è che la vedi in 3D bella chiara e nitida, vedi un origami stropicciato, intravedi solo il musino, come il criceto nella cotonina...

Che dobbiamo aspettarci ora? Il ritorno delle scarpe con gli specchietti davanti? Molto probabile. Che poi le varie Lady, Sharon, Bibi, Gaga, Paris e Ciape d'argent, tutte queste sexissime, finisce che le riconosci dalla topazia, invece che dalla faccia...

"E quella senza mutande con una foto di Bin Laden sulla jolanda chi è?"

"È la Britney, è contro la depilazione..."

E intanto, sempre per parlare di donne e di look, la compagnia aerea Meridiana ha stabilito che le sue hostess non possono superare la taglia 40-42. Hanno fatto delle divise nuove e le assistenti di volo devono starci dentro se no le sbattono fuori. Io sapevo che dovessero controllare le cinture di sicurezza dei passeggeri non le loro... Il motivo? Una donna taglia 44 non sarebbe abbastanza agile per lavorare su un aereo.

E perché? Fanno gli esercizi sul trapezio, le hostess? Servono l'acqua e il caffè portando il vassoio sulla testa mentre avanzano col monopattino fra le poltrone? Il massimo di agilità richiesto è alzare e abbassare le braccia per indicare dove sono le uscite di sicurezza e il sentiero luminoso. Perfino l'Orso Yoghi sarebbe in grado di farlo. Ma perché c'è 'sta fissa di pensare che i passeggeri vogliano delle hostess gnocche? Dipende da chi viaggia. Se viaggia Berlu, posso capirlo, ma a me non me ne frega un accidenti che abbiano il culo piccolo o grande, anzi, meglio che siano un po' bin piantà, un po' in carne, così almeno mi danno una mano a tirar su il trolley. Ce ne frega qualcosa, quando ci sono le perturbazioni e l'aereo fa la danza kuduro, se dallo spacco della gonna esce una gambetta o una gambotta? Zero. Da notare che nessuno ha detto niente sulla taglia degli steward. Loro possono avere la pancia di Buddha e le anche da bue muschiato e nessuno fa una piega. Che poi 'ste povere hostess già sembrano delle Barbie, costrette a passare le giornate vestite da badola, su e giù a versare caffè e a sventolare le braccia, lasciamole almeno mangiare! Siamo sempre solo noi ragazze che dobbiamo adeguarci ai canoni? Ma poi, scusa, tra un culo taglia 42 e uno taglia 44 la differenza sarà di due centimetri... Certo, se una vuole fare la hostess e fino al giorno prima faceva la donna cannone in un circo su un aereo può creare qualche problema. Ma in tutti gli altri casi, stare lì a misurare le chiappe è pura perversione. Se non ci stanno più dentro il tubino facciamo una divisa coi pantaloni e bon.

Preservativi griffati per walter di classe

Una novità per gli uomini che non devono chiedere mai. Per i maschi fighetta, per il bello belindo, per l'uomo chic, per l'uomo shock. Arriva finalmente sul mercato il preservativo Louis Vuitton. Il profilattico griffato, il preservativo di alta moda per walter di una certa classe. E quanto costa? Costa la bellezza di sessantotto dollari, che non è poco visto che lo usi una volta sola. E come sarà fatto? Di pelle martellata? Pitonata? Con la maniglia e la tracolla? Con la tasca interna per il passaporto? Trolley, per raggiungere la meta con il minor sforzo? Niente di tutto questo. L'ho visto su Internet: è dentro la classica bustina con le letterine L e V stampigliate sopra, è marrone e c'ha la sigla anche sul bordo. Tra l'altro, pensavo, il profilattico griffato avrà il marchio stampato per il lungo, quindi uno sceglierà la marca che più si confà alle sue misure. Per alcuni Louis Vuitton va più che bene, ci sono solo le iniziali L e V, e pure sovrapposte, ma uno già un po' più dotato, per dire, deve optare per un Dolce&Gabbana ben disteso sul "Gabbana". Magari con sotto un sospensorio griffato Sorelle Fendi, una sorella per amico di maria...

Prendiamo la Lacoste: la scritta è corta, ma se sei dotato, al momento opportuno spunta un coccodrillo di venti centimetri. Moschino è difficile che li faccia. Sai, trovarsi Moschino scritto sul gigetto non invita. Cosa si metterà uno come Beckham? Avrà un Car... looooo Piiii... gnaaa... teee... lli tirato come un elastico... teeeeso... e che magari lo copre solo per tre quarti, tanto che lo deve tirare su bene come le calze autoreggenti, se no non basta. Perché il punto è questo: i maschi hanno lì quella lingua di Menelik che non si capisce mai fin dove può arrivare. Magari a riposo si legge solo, tipo, la sigla WCA, ma poi se gli parte la briscola swrabadadannn!!! WRANGLER COMPANY COLLECTION SUPER CONDOM OF AMERICA SO LOVELY.

Tanto, se dura 'sta moda, tempo quindici giorni e i cinesi han già taroccato tutto, facendo le scritte delle griffe più piccole così quel che c'è dentro sembra un po' più grosso.

La cantinoterapia

Fortuna che ogni anno arrivano, puntuali, le vacanze. Così ci leviamo 'sti occhi stanchi da gallina che fatica a fare ancora l'uovo, 'sto colorito del gelato leccato da un bambino, con tutti i gusti mischiati. E, con le vacanze, giunge il tempo di mollare gli ormeggi. Staccare la spina. Darsi pace. D'estate io desidero solo mettermi sulla sdraio e stare lì. Ferma. Voglio che l'unica cosa che si muove in me sia la forfora. E se qualcuno mi chiede: "Cosa fai stasera?", ho già pronta la risposta: "Niente. Al massimo tolgo la pelle ai peperoni".

Per riposarsi davvero bisognerebbe liberarsi di tutto e di tutti, marito compreso. Invece ce l'hai sempre lì. Tachiss. Appiccicato. Come quei cani che sembrano tanto spavaldi e tanto autonomi, ma se ti siedi un attimo sul divano a riposarti ti saltano addosso, emettono un sospiro, sbuufffff, e si piantano lì, col muso sulla jolanda.

Ho letto che per ricaricare davvero le pile è arrivata una novità. Una nuova moda da annoverare a tutti gli effetti nel ramo "cure miracolose". Si tratta di un modernissimo modo per rilassarsi e, soprattutto, curare chi soffre di asma, allergie o, in generale, di problemi respiratori. Si chiama speleoterapia. In poche parole: le persone afflitte da questi disturbi vengono raccolte in una grotta o in una antica miniera, e lasciate lì un po' di tempo a leggere o a riposare, o, se si tratta di bambini, a giocare. Dicono che con questo sistema tutti i malanni legati allo stress e le magagne alle vie respiratorie trovino un grande sollievo, o addirittura la guarigione definitiva. E questo grazie all'aria purissima e all'assoluta mancanza di umidità di queste grotte.

Allora, o sono scema io (eventualità molto probabile) o siete scemi voi. Scusate se mi permetto, a me non risulta che le grotte siano luoghi particolarmente salubri. Non ho mai sentito nessuno dire: "Be', quest'anno voglio proprio rilassarmi e andare a respirare un po' di aria pura nelle Grotte di Toirano". Oppure: "Che brutti reumatismi. Dev'essere l'umidità. Sento che mi farebbe tanto bene un soggiorno in grotta". E peggio ancora la miniera. Voglio dire, i minatori, povere creature, tutto avevano fuorché i polmoni in buona salute. Va bene che stiamo parlando di miniere dismesse, dove non si estrae più un accidenti, però, diciamo, non c'è tanto ricambio d'aria là dentro. A me, così a naso, viene da pensare che se avessi bisogno di riprendermi e di curarmi la bronchite magari andrei a Varigotti o a Cogne, mi farei delle medie di sciroppo di lumaca piuttosto, ma starei alla larga dalle grotte.

E, comunque, non tutti abbiamo grotte a disposizione. Chi vive nel Carso è avvantaggiato, ma tutti gli altri come fanno? Mi viene in mente un consiglio. Se provassimo con le cantine? Tutti ne abbiamo una a disposizione e, vista la crisi, potremmo risparmiare un bel po' di soldi. La cantinoterapia: si scende giù in cantina con un bel libro o le parole crociate e si passano due ore, lì, incastrati fra l'albero di Natale e un vecchio congelatore rotto che non ci siamo mai decisi a buttare via. Due chiacchiere coi topi e il pomeriggio passa, le ferie pure. La tosse, non so.

Angie e Brad

Pare che Angelina Jolie e Brad Pitt si sposino. Non si è ancora capito quando, ma la Angiolina diventerà una Pitt. La megacerimonia inizialmente doveva avere luogo in una tenuta a sud di Parigi, nel loro castello. Certo, perché i due hanno comprato anche un castello. Chissà che IMU... E Brad ha dato ad Angie l'anello di fidanzamento disegnato da lui, personalmente. Il Pitt.

Grrrr. Mi viene il ringhio di Zanna Bianca. Mi stanno saltando le centraline basse. Mi va in corto la mia parte corta. No, ma scusa, non è mica giusto... La Angiolina non solo sta con uno figo, che la pensa come lei e con lei condivide un sacco di progetti; non solo lui la ama, ma se la sposa pure e le disegna persino l'anello. Minchia, straminchia e supercalifragilistichespiralidosaminchia. Solo i nostri boy sono un grumo di difetti? Dei Leroy Merlin pieni di cazzate? Solo i nostri non ti sposano mai, amano te ma intanto ne zufolano un'altra, e per anello di fidanzamento cercano di farti passare per buono quello dell'uovo di Pasqua? Possibile che l'uomo medio nostro sia uno gnocco compatto di rottura di maroni con qualche crepa buona e Brad sia un bignami di figheria senza smerli? Un difetto ce l'avrà pure lui, no? C'avrà l'ascella feroce, non so, bucherà i calzini all'altezza del dito grosso? Giocherà a pinnacolo da far schifo? Avrà la pancia che gorgoglia, attacchi di colite a spruzzo o magari si sveglierà tutte le mattine sotto una nevicata di forfora? Figurati se i nostri boy ci disegnano l'anello, piuttosto ci danno i soldi perché andiamo a comprarcelo da sole. Ma com'è che in America sono tutti fighi e da noi tutti roiti? Là Brad Pitt e qua Belsit?

Imene perenne

Da qualche tempo in Cina hanno tolto dal commercio l'imene artificiale. Sì, perché – io non lo sapevo – da tempo si può acquistare su Internet l'imene artificiale made in China. Ora mi spiego meglio.

Prima di tutto, caro il mio portatore di walter, sai cos'è l'imene o devo partire dalle aste? Ti devo fare una lezione sul corpo umano? Allora, le donne, quindi non è il tuo caso credo, all'ingresso della jolanda hanno una specie di porticina col chiavistello che si chiama imene. Quando ce l'hai ancora chiusa col lucchetto sei vergine. Appena ti apri alle gioie del ciupa e inviti il walter da te, la porticina si apre, e una volta aperta non si chiude più. Sta spalancata. Ad alcune fa addirittura corrente. Insomma, 'sto imene è un po' un'etichetta di garanzia che attesta che la jole è ancora intonsa.

Ci sono donne, però, che non vogliono che il loro futuro compagno sappia che hanno già ciupaciupato in lungo e in largo, che la loro jolanda ormai è un punto di ritrovo, una piattaforma di incontro, perciò si comprano 'sto imene artificiale e fingono di essere vergini.

È facile, tu vai su Internet, lo ordini e ti arriva a casa. Cinquanta euro due. Perché due? È strana 'sta cosa. No, perché io ne ho una; a voi risulta che in Cina ce l'hanno doppia? O è solo che sono tanti e c'è tanta confusione? Che poi non ho nemmeno ben capito com'è fatto. Deve essere tipo un pezzettino di Domopack, o di sacchetto di mais per l'umido, che si sfonda solo a guardarlo, ecco. Te lo sistemi – così dicono le istruzioni – venti minuti prima dell'arrivo di mister walter. Però non si capisce in che modo. Come la fissi 'sta pellicola? Sarà tipo le tendine antizanzara... sai quelle che metti sulle porte che danno in giardino e che, se non stai attento, sfondi entrando in casa? Che poi, tra l'altro, come fa a rimanere teso? Devi farti montare gli infissi come per le zanzariere? Lo fermi con delle puntine da disegno? Come lo appendi alle pareti, ha dei ganci predisposti? E poi se 'sta membrana è troppo spessa non c'è il rischio del rimbalzo, cioè che arrivi il walter a tutta velocità e... boing, torni indietro? E tutti che gridano come alla partita: "TRAVERSAAA!".

Ma, soprattutto, siamo sicure che a loro piaccia così tanto? Ai maschi dico. Uomini, a voi piace arrivare di corsa e trovare il portone chiuso col rischio di prendervi una facciata? L'idea di usare il walter come un ariete è una cosa che vi incista? Siete ancora così trogloditi che vi intriga impalmare una vergine? Battendovi il petto come un gorilla? E soprattutto: siete così scemi da credere a una che porta nella borsetta una decina di imeni artificiali?

Le gagade di Lady Gaga

Parliamo di Lady Gaga. La Lady Gagona, la madama Germanotta... Eh sì, perché il vero nome di Lady Gaga è Angelina Germanotta. Giuro! Un nome da panettiera: PANIFICIO GERMANOTTA, solo grissini stirati a mano. È anche un nome da sarta, di quelle che quando prendono le misure indugiano sul cavallo. Anch'io voglio cambiarmi il nome. Lo voglio un po' più international: Lucy in the sky... Ciao Le Pupe... Lady Combineuse... mi piacerebbe anche molto Lady Gogamigoga!

Comunque, la Gagona ha detto una bella gagada. In un'intervista ha dichiarato: "Sono sfortunata in amore, la mia vita sentimentale è un disastro, le mie storie si spatasciano in un amen, vorrei incontrare finalmente il mio uomo ideale". E ci ha rivelato persino com'è il suo uomo ideale, che io mi aspettavo una roba tipo una spia russa con lo sguardo di Satana e i canini da vipera cornuta, o un tuareg con la cofana di Moira Orfei e la pelle blu come se fosse coperto di lividi, o, guarda cosa mi spingo a dire, un leghista coperto di peli col profilo di Bossi tatuato sul pistolino... Sai, no, che la Lady è un po' trasgressiva... Invece no. Lady Gagona dice che vorrebbe tan to un uomo superdotato e molto colto, possibilmente laureato ad Harvard.

Ma guarda la Gagarella. Mica scema... chi non lo vorrebbe uno con un martello pneumatico nelle mutande e un cervello che lo sappia adoperare? Secondo te, noi, invece, lo cerchiamo scemo e di minchia filiforme? Lo vogliamo scimunito, bocciato in terza media e con il walter a cerino? Solo per sapere, amore. Poi certo, ci tocca quel che ci tocca e va be'...

Piuttosto, chiediamoci perché tu non l'abbia ancora trovato, Gagarin. Lei dice che è perché gli uomini hanno paura del suo cervello, ma secondo me è di altro che hanno paura. Datti una bella guardata, Gagosian, non è che sei proprio un tronco di gnocca. E in più vai in giro con la giacca di fettine di carne e il cappello di aragosta, con le chele appese. Capisci bene che non è tanto la mise giusta per conquistare un laureato ad Harvard.

Abbassa il gas, Gagarina mia. Magari prova con un laureato alla Bocconi. Noi qui ne abbiamo a mazzi. Non so se siano superdotati, ti toccherà fare il controllo qualità. Almeno gli smuovi un po' le acque, a 'sti gessi di Riace. Gaga, ascolta me, listen to me. Io un pensierino lo farei sul Moma, Monti boy. Laureato è laureato, poi, "Monti", tu capisci, porta già con sé un significato e un significante. E per quanto riguarda la dotazione... ascolta, Gags, il professore, io non so come sia messo ad attrezzeria, ma di certo ha due palle pazzesche. Te lo do per certo: ha due boule de neige. Due arance siciliane. Due manghi, toh! Per cui, Lady, se tanto mi dà tanto, è difficile che nel mezzo ci trovi una chiavetta USB. Io credo che ci sia qualcosa di più corposo. Almeno un thermos, secondo me. Sai quelli dove metti il tè quando vai in gita? Quello sì che è un maschio alfa... Già a pochi giorni dalla nomina, a noi, che siamo sessanta milioni, ci faceva già camminare con le gambe piegate, vedi tu. Ormai marciamo come i marinai quando scendono dalla nave. Sposarti non credo che lo farà, perché è felicemente coniugato, ma forse, visto come stiamo messi a soldi, se sganci un po' di grana, Mario due giri di valzer te li fa anche fare.

L'auto a pipì

I costruttori tedeschi della Mercedes e della Volkswagen hanno inventato la macchina che va a pipì, l'automobile a urina. Invece di berla come fanno gli omeopatici, la versi nel serbatoio e le emissioni inquinanti si riducono vistosamente. E quando finisce è un casino perché l'auto smette di funzionare: senza pipì, non si muove più. Tra l'altro, pensa che comodità per le donne, che fanno pipì dieci volte in mezz'ora. Almeno 'sta continua rubinetteria serve a qualcosa. Ogni dieci chilometri un piccolo rabbocco.

E senti qua: un pieno di questa bella roba, di questo cocktail (che deve essere poi lavorato in laboratorio) dura la bellezza di quindicimila chilometri. Non quindici, quindicimila, capisci? Sono tanti. Scusa, ma quanta ne devi fare perché duri per quindicimila chilometri? E il pieno, poi, chi te lo fa, uno che è appena uscito dall'Oktoberfest?

Se commercializzano 'ste macchine, dovranno attrezzare dei distributori. E chi potremmo metterci? Io propongo Del Piero e la Chiabotto: fanno tanta plin plin. Di sicuro li comprerà la Mercedes quei due, da soli fanno pipì per tutto il fabbisogno di Düsseldorf.

Del Piero, che ha il beccuccio, fa anche gli interventi di emergenza. Comunque, per adesso, questa tecnica la utilizzano appunto Mercedes e Volkswagen. E noi?

Marchionne? Sergej? Crudelio Marchion, hai sentito? Ci dici che macchine fighe avete in progetto? Perché agli operai hai fatto promettere che lavoreranno di più, ma le macchine fighe le devi inventare tu. No, perché qui la Mercedes fa pipì nel motore, la Volkswagen fa pipì nel motore, tu che idee ti sei fatto venire? Cosa nascondi, nel cassetto? La Topolino? Che va a topi del naso? O come innovazione cambierai il colore dei fanalini della Musa? Se non hai in mente niente, costruisci anche tu le macchine a pipì, Sergio. Io ti trovo i nomi. Segnateli: la "Zampillo", la "Sprizzo". Ho già persino preparato lo slogan: "Fai pipì nella tua Sprizzo e vai a razzo!". Se no, un bel nome per una monovolume è "Diuresi" o, se vuoi, "Minzionne", che sta tra la minzione e Marchionne. La Renault ha già detto che farà la "Pissoir" e la "Pisade". Se no, visto che la cosa interessa i reni, una la chiameranno "René". La "René" della Renault. In Russia faranno la "Irina"? Che va a orina? 'Sta cosa delle auto a pipì mi ha scatenato la stupidera. Chissà se faranno anche la Vespa che va a pipì? La "Vespasiano". Questa novità porterà cambiamenti anche nei distributori, immagino. Per forza. La Esso diventerà la "Cesso"? Se ci pensi, la IP parte avvantaggiata, mette due suoi cartelli al contrario e da IPIP diventa subito PIPI. Ai distributori venderanno anche la pipì super, che puzza di asparago, e la verde, quella che fai quando mangi i carciofi. Nel futuro si dovrà poi insegnare ai cani a fare pipì direttamente nel serbatoio anziché sulle ruote. Piscia Bobi, che devo andare a Savona.

A questo punto, però, io mi chiedo: e la cacca? Perché non se la fila nessuno? Perché la semplice, familiare cacca umana non stimola la fantasia degli scienziati? Eppure, possibile che a nessuno venga in mente di fare, non so... una stufa che vada a stronzet, invece che a pellet?

Il cemento rassodachiappe

È partita la moda tra le donne di un certo garbo di vantarsi dei propri slanci amorosi. Ha cominciato Melissa Satta, fidanzata di Boateng del Milan, che in un'intervista a "Vanity Fair" ha confessato: "Faccio sesso da sette a dieci volte alla settimana". Orario continuato, come la Rinascente sotto Natale. Praticamente un'acciaieria, dove non si possono mai spegnere gli altiforni.

Invece Sara Tommasi ha svelato che lei, pensa, fa sesso più di cinque volte al giorno perché ha un fidanzato molto esigente. Ma dove lo avrà trovato, questo merlo meccanico? Questo percussionista di classe? A me viene già voglia di chiedergli se può passare a casa mia a farmi i buchi in giardino per piantare le carote. Un talento vero. Cinque volte al giorno, significa una volta ogni quattro ore, con la cadenza di un antibiotico. La Tommi, la Sara Tommi, mentre prende l'Augmentin prende anche...

Prima di tutto vorrei dire che sono contenta e poi ringraziare una stampa libera che ci informa sulle cose davvero importanti della vita. Nello specifico, mi chiedo: ma queste due non hanno niente da fare nella vita? Possibile che a loro la vita non offra altro che un viavai di walter? Solo chilometri e chilometri di umanità? Cinque volte al giorno, anche dal punto di vista della logistica, non è una cosa semplice. Ne accorperanno due o tre per volta, o le faranno proprio staccate, una al risveglio, una in tram, una in ufficio, una a cena e l'ultima mentre preparano la tisana di menta e arquebuse? E, soprattutto, queste qua che jolanda hanno? Con la serpentina di raffreddamento? No, perché con un uso così assiduo devi fare attenzione che poi ti va in temperatura e rischia di fondersi, fa la fine della centrale di Fukushima. Tocca poi immettere acqua di mare per eliminare i fumi, o spegnerla dall'alto coi canadair.

Guarda, io spero che non sia vero, della Sara e della Melissa, lo dico per loro. Perché il bello del ciupa dance, il bello del far l'amore è anche la sorpresa e l'attesa. Un treno che entra in galleria inaspettatamente è avvincente, ma un intercity via l'altro alla stazione centrale fa venire la stufia già dopo due minuti.

Comunque, per dire che la stupidigia delle femmine non conosce confini, vi do un'altra bella notizia. Protagonista una tipa della Florida che si è fatta iniettare cemento nel sedere per farlo diventare sodo. E adesso ha denunciato il chirurgo. Eh, certo, perché al posto del sedere le è venuto un ecomostro. Ma ti pare? Al limite fattelo costruire in cartongesso, con un faretto che illumina l'entrata secondaria, chiama un architetto, fattelo progettare da Fuksas (sai che deretani disegnerebbe?)... Invece lei ha portato in tribunale il medico culologo. Allora sei scema, abbi pazienza. Chiedi che ti rovescino una colata di calcestruzzo nelle chiappe e poi ti lamenti? Come quelli che si fumano una stecca di Camel senza filtro al giorno e poi denunciano le multinazionali del tabacco perché gli viene male ai polmoni! Ma denunciati te, balengo! Una così capace che se le dicevano che per dimagrire dovevano tagliarle via il culo a fette se lo faceva mettere nell'affettatrice...

Ah! Les femmes!

La farfallina

Ogni anno, a primavera, sento le cellule risvegliarsi. Mi si sgelano le tubature e gorgogliano gli ormoni. Succede anche a voi?

Le prime ascelle che ricominciano a sudare, i pistoni che si rimettono in moto, le caviglie che si scoprono e senti subito la nostalgia della depilazione. Che meraviglia, la primavera! Spuntano le primule, tornano le rondini ed escono le pantegane. Io abito vicino al Po e vedo certi ratti passare, grossi come Scilipoti, non bastano le trappole comuni, ci vogliono dei garage. E poi arriva l'equinozio. Lo sapevate che si rimane tutte più incinte quel giorno? Lo dico alle ragazze che vogliono moltiplicarsi: quello è il giorno giusto, svegliatevi bambine, sguinzagliate la jolanda, toglietele la museruola, lucidate le argenterie, e se è il caso passate l'antiruggine... non state lì con la jolanda in mano.

Ripassiamo come avviene la procreazione. Allora, la procreazione può essere di due tipi. Quella assistita, che è come il parcheggio custodito dove c'è qualcuno che ti dà una mano, oppure quella selvatica dove non c'è nessuno che assiste e procrei dove capita, anche in doppia fila. Insomma, io sono per lasciare che la natura faccia il suo corso, perché non la controlli, la natura. Guarda cosa è successo a Emma, la cantante che ha vinto Sanremo. Ha ballato sotto le stelle e le sono uscite le stalle. Le sono esondate le tette dalla scollatura. Alla Tatangelo uguale. Be', certo, se mettono vestiti scollati fino all'attaccatura della jolanda, senza reggiseno, col ballerino che le rivolta come frittate in padella, ti credo che poi il vestito va da una parte e le tette dall'altra. Ti girano le filippe per l'aria come le palle dei giocolieri.

Allora, ragazze, nella vita due sono le strade: o mostrare le tette a milioni di spettatori o non mostrarle. Nel secondo caso è abbastanza facile farlo. Prima mossa consigliata è l'uso di quel simpatico e moderno indumento composto da due triangoli di stoffa uniti da una strisciolina. Si chiama reggiseno e oltre a reggerlo, il seno, tende anche un po' a coprirlo. Secondariamente si indossano abiti che abbiano persino la parte superiore. Perché, se la parte superiore è una benda con due spalline, qualcosa scappa. Se col vostro vestito potete farci al massimo un bikini per pettirossi può capitare che l'antica tetteria del borgo balzi fuori. Comunque, una cosa è certa, se dite che non lo avete fatto apposta, di gente che vi creda penso ne sia rimasta poca.

E lo stesso vale per Belén. Esce senza mutande, con uno spacco che le arriva all'ascella, scende le scale sculacchiando di qua e di là, e si stupisce se le si vede il lepidottero? "Ma come mai?" Eh, come mai... Belén, senti, a me se giri con la marmotta di fuori, non mi fa né caldo né freddo. La vuoi buttare sul fisico? Fai bene, così non ti spremi neanche tanto come invece capita a noi. Se pensi che passare alla storia per aver fatto vedere una farfalla sull'inguine sia una buona cosa non voglio essere io a deluderti (tra l'altro è la farfallina della RAI? Gliel'ha tatuata Mazza?). Ti chiedo solo di non stupirti. Non fingere... Scusa, se scendi le scale con uno spacco che arriva fino alla fronte come puoi pensare che non si veda cosa c'è sotto? Due le ipotesi. O sei balenga tu o siamo balenghi noi che ti crediamo. E visto che noi non ti crediamo, resta buona la prima.

Mont Blanc colpisce ancora

Continuano le manovre di Monti. Di Mont Blanc. Adesso lui e i suoi ministri supertecnici stanno limando e piallando un'altra supposta. Leva di qua, leva di là, finirà, io ve lo dico, che ce la metteranno in orizzontale. Sono sempre lì a parlare di misure per la crescita, e poi ci riempiono di tasse. È come se tu portassi tuo figlio dal pediatra e quello ti dicesse: "Eh, suo figlio non cresce. Da domani mi raccomando: niente colazione, a pranzo una tazza di brodo e a cena due calci in culo".

Come facciamo a crescere? Ogni giorno c'è una tassa nuova. E l'IRPEF, e l'IMU, e l'IRAP, adesso anche l'IRI... Monti? Perché non ne inventi altre? Che ne so, la BOBO e la MIMI? Che sono tasse per chi si chiama così? Fai anche la BUBU, per quelli che si fanno male lontano dal posto di lavoro? Oppure la SCHIATTA, la tassa per quelli che muoiono prima di pagare l'IRPEF. Sai che, per la prima volta, provo pena per i commercialisti? Se ne stanno lì a scartoffiare come i criceti quando si fanno il nido nella cotonina... Stan lì davanti al sito del governo che spiega l'IMU con le bolle di saliva alla bocca, come i cani che patiscono la macchina... Ma non potevano lasciarci l'ICI? Come tassa era la metà e sapevano calcolarla anche i babbioni... No, Moma e i suoi fratelli, per fare gli splendidi, l'hanno abolita e ora ci torna addosso raddoppiata, e per giunta così complicata che per calcolarla ci vorrebbe Einstein dopo che ha preso le anfetamine...

Sono diventati tutti matti, capisci? Come quel prete di Porto Garibaldi, che ha deciso di non far fare la Prima Comunione a un bambino con un ritardo mentale perché non era in grado di distinguere il pane dall'ostia. Emi? Eminens? Vero che non è così? Non può essere, vero? Tu pensa a 'sto bambino: è andato al catechismo con i compagni, si è preparato alla Prima Comunione, poi, quando era ora, che restava solo più la prova generale, il prete lo ha scartato. Come avrà fatto, come al talent? Col pulsante rosso? Gli avrà detto: "La Comunione per te... finisce qui!"? 'Sto prete dice che il ragazzo non si rende conto, non capisce. Tale e quale a come ragionava Gesù che, prima di aiutare qualcuno, gli faceva sempre l'esame: ai ciechi, prima di ridargli la vista, gli andava davanti sventolando due dita e chiedendo: "Quante sono?". E se non sapevano rispondere, ciao.

Ma la Prima Comunione cos'è, un fatto intellettuale? È come prendere la patente, che ti fanno i quiz e se non sai rispondere torni la volta dopo? Che ragionamento del menga è? È come dire che uno in coma non può ricevere l'estrema unzione perché non distingue l'olio santo dall'olio di arachidi per la frittura... Perché, scusa, un neonato, quando lo battezzi, capisce che quella è acqua benedetta? Non credo, anzi. Urla e strepita perché non capisce come mai uno in camicia da notte gli versi dell'acqua ghiacciata sulla capoccia...

La Prima Comunione è una faccenda per bambini brillanti, don Piergiorgio? In Paradiso ci vanno solo gli enfant prodige? Gli ultimi, dalle vostre parti, non dovrebbero essere i primi? Cosa deve fare 'sto povero bambino... dimostrare di avere l'x factor? Non ce l'avrà mai come lo intende lei. E per questo è ancora più prezioso degli altri.

Se fossi un fagiano

E così, alla fine, si è sparato. Con una delibera urgente che più urgente non si può, è stata annullata la sentenza del TAR e si è data ai cacciatori la possibilità di sparare. Che strana storia... Si doveva fare un referendum il 3 giugno, ma è stato cancellato. Per fortuna, dato che era previsto nel ponte del 2 giugno, quando tutti migrano come rondini. Adesso va molto di moda il referendum piazzato a capocchia così la gente non va a votare. Guardano il calendario e lo ficcano nel giorno più cesso che c'è. Mettetelo a Ferragosto, allora. I referendum sono uno dei pochi modi che abbiamo per dire la nostra, ma c'è sempre quello che cerca di fregarci. A volte mi chiedo se ai politici noi facciamo schifo.

Comunque, dicevo, non facendo il referendum abbiamo risparmiato una ventina di milioni di euro. E questo è un bene. Ma la questione caccia resta aperta. E questo è un male. Io la caccia non l'ho mai capita. Per carità, ognuno è libero di scegliersi gli hobby che vuole. Ma che hobby è sparare alle bestie? Una volta aveva un senso, si cacciava per mangiare. Adesso giriamo con le Hogan, andiamo ai sushi bar e continuiamo a sparare al piccione? Non vorrei farmi dei nemici e finire come la nutria in trappola, ma sulla caccia ho da sempre una domanda da fare. Gli animali nei boschi di chi sono? Sono di tutti, e quindi se sono di tutti, sono anche un po' miei. E com'è che nessuno mi chiede se voglio che mi impallinino la quaglia? Che mi sparino alla fagiana? Un pezzettino di quella pernice è mio e io non voglio che me la uccidi. Il cinghiale men che meno, perché Davide, il mio compagno, con tutto il rispetto, me lo ricorda tanto. Invece mi sa che la penso male. Mi sono informata. Gli animali selvatici dei boschi sono definiti Res Nullius. Cosa di nessuno. Quindi hanno ragione i cacciatori. Se la lepre non è di nessuno, si può fare di lei bersaglio di doppietta. Che follia. Per i boschi è diverso. O sono proprietà privata o appartengono al demanio. Quindi se sego un faggio sono perseguibile per legge, se accoppo un cinghiale no. Pioppo batte chiurlo 1 a 0. Ungulati fascia debole. Ma la legge non doveva essere uguale per tutti? Io, se fossi un fagiano, mi incazzerei.

Grande freddo e gran rotture di tubi

Chissà se quest'anno farà freddo come l'anno scorso. L'inverno passato mi sembrava di stare in Siberia, ci mancava il dottor Živago e le tre sorelle di Čechov che gridavano: "A Mosca. A Mosca. A Mosca".

C'era così tanto ghiaccio che per scioglierlo avremmo dovuto buttare in strada i cuneesi al rum. Dovevi posteggiare la macchina su dei Monvisi di neve, rampiarti su due ruote come Holer Togni. La mattina il parabrezza era una lastra di ghiaccio, ci mancava solo Carolina Kostner. Ha fatto talmente tanto freddo che quando la Chiabotto faceva plin plin si trasformava tutto in una cascata di ghiaccio. Fassino l'ha usato la Protezione civile, di punta, per far saltare le lastre di ghiaccio... E non dico da dove gli usciva il sale. Ad ogni modo, questo freddo era normale. Trattasi di inverno in pieno inverno. Eppure non c'era telegiornale che non ci mettesse in affanno: "Previsti dieci centimetri di neve...". E cosa doveva scendere dal cielo? Una processione di rane? Era prima che non era normale, quando fiorivano le margherite a Natale, e faceva un caldo porco che ti si pezzava l'ascella nel piumino.

A me, poi, si sono anche gelati i tubi. Ho dovuto lavarmi per giorni con la San Bernardo. Minchia, anche 'sti tubi però. Ma fai il tuo mestiere di tubo! Non è che ti posso far passare sotto il letto perché fuori fa freddo. Sei tubo e stai fuori. Mostra che hai la tempra del tubo. Anche noi umani siamo pieni di tubi, ma non è che si gelano quando le temperature scendono. Non è che smettiamo di fare pipì perché si congelano le condutture. A nessuno è mai stata sbrinata la prostata, per dire. "Eh, ma a meno dieci l'acqua si ghiaccia." Lo so anch'io che sottozero l'acqua gela, per questo tu mi devi fabbricare tubi che a meno dieci non si frantumano come wafer, altrimenti mettiti a produrre pelapatate, che, freddo o caldo, funzionano sempre!!! "Eh, ma se l'acqua ghiaccia per forza i tubi si spaccano." Ma, scusa, in Lapponia come fanno? Perché lì l'acqua non passa nei tubi? La spostano avanti e indietro coi secchielli? Siamo riusciti a inventare di tutto, persino i cannoni che sparano la neve sulle piste e non riusciamo a costruire dei tubi che non gelino? Proviamo coi tubi di pile o foderati di peluche, dei tubi di pelle di renna!

E vogliamo parlare delle caldaie? Porca di quella Eva in tutto il suo splendore! Allora, amici della caldaia, fratelli delle pompe di calore, com'è che sulla caldaia ci scrivete assistenza ventiquattr'ore su ventiquattro, sette giorni su sette, compresi Natale cinese, Pasqua turca ed Epifania pellerossa, e poi quando la caldaia si spacca e telefoni al centro assistenza ci buttate giù il telefono sul muso? La linea è sempre occupata, staccata, o parte la segreteria telefonica? E quando rispondete fate pure gli scazzati, con un tono da riempirvi di sgiaflun, e ci dite: "Eh ma signora, non è che può pretendere, qui chiamano tutti!!!". Senti un po', cocorita del tepore, capinera del tubo e oca giuliva del termostato. Secondo te quando ti devo chiamare? A Ferragosto? Quando fuori ci sono trenta gradi? Ti chiamo il 2 giugno e festeggiamo insieme? Ti viene più comodo? Minchia è d'inverno che, se la caldaia si spacca, mi serve che riparta in fretta. Perché mi metto in casa una caldaia secondo te? Per estetica? Mi metto la tua caldaia del menga perché mi piace avere 'sto cassone di ferraglia appeso al muro? Eh no! La caldaia la uso per riscaldarmi, badola! Perciò, quando si spacca e fuori nevica e ci sono un mucchio di gradi sottozero, ti chiamo perché tu venga a ripararmela con una certa urgenza. Non ce la fai? Non hai abbastanza personale per soddisfare le richieste? Organizzati, procurati degli aiutanti stagionali come fanno quelli che raccolgono i pomodori d'estate o fanno la vendemmia. Da novembre a marzo assumi un paio di tecnici in più. Tiri su un pronto-caldaia come il pronto-pizza. Dài lavoro a chi non ne ha. Non essere avido e ingordo, chiama un'équipe di tecnici fissi dal posto mobile, così Monti e la Fornero sono contenti. Adesso dicono che potrebbe mancare pure il gas. Sempre meglio. Cosa dobbiamo aspettarci ancora? Una pioggia di walter, il mare che si trasforma in merda e la moltiplicazione degli Scilipoti?

È stata la cugina!

Posso dire che c'hanno sfrantecato le palle? Ce le hanno ridotte alla sbrisolona, c'hanno tolto l'acqua alle olive. Guarda, come sento dire ancora "delitto di Avetrana" mi premo l'aorta con le dita e vado in svenimento controllato. Che due gigantissime, stratosfericissime, vistosissime, gonfissime e dolorosissime... palle aggiungetelo voi! E poi si stupiscono se la gente, la domenica, invece di andare all'ippodromo o alla sagra della polpetta, si mette in fila per vedere la villetta di Avetrana. Cadono dal pero, capisci? "Ma com'è possibile che ci siano tutti questi curiosi?" Com'è possibile? È colpa vostra, che fate ore e ore di trasmissioni su una disgrazia e avete gli inviati vostri ventiquattr'ore su ventiquattro davanti al cancello...

Perché ormai non basta più il fattaccio di cronaca nera. No, ci vuole il dettaglio, il particolare, il graffio, la corda, l'impronta; e poi, ancora, gli psicologi e i criminologi in studio che commentano: "Ecco, vedete? Lui piega il sopracciglio a forma di baffo di castoro. Vuol dire che mente, il colpevole è lui"; per poi cambiare idea e dire che è stata la cugina... E alè, riparte il torrone: "È lei, in questo filmato si soffia tre volte il naso e piega un orecchio come i dingo delle praterie...". Dopo qualche giorno, cambiano di nuovo versione: "È lui, che si è spremuto il pacco con la vanga e ha piegato l'ascella come le capinere".

Vi volevo solo dire che è un trend che non accenna a finire. E ora vogliamo parlare di Vespa? Vespa che, a "Porta a Porta", si è presentato col modellino della *Concordia*, e ha usato come sottofondo alla trasmissione il tema de *I pirati dei Caraibi*. Mi meraviglio che non avesse anche il playmobil di Schettino per vedere se era possibile farlo risalire al buio. No, ma capisci? E la cosa pazzesca è che tutti dicono la loro. Sono diventati tutti comandanti della marineria di porto. Tutti Cristofori Colombi. Tutti Marchi Poli. Fino a ieri non distinguevano la poppa dalla prua, non sapevano manco andare dritti col pedalò e adesso parlano di manovre di avvicinamento. Ti spiegano la rotta dalle Molucche a Ischia. E ti raccontano che le tre Caravelle, in realtà, le hanno guidate loro.

È possibile che ci siano tanti microfoni a disposizione quante sono le bocche aperte per sparare minchiate? Ci sarà mai uno che ammette: "Guardi, io non so neanche distinguere un remo da un timone, per me le poppe sono le tette e le lance le tirano gli indiani; non solo, ma la pompa di sentina a me evoca solo brutte immagini, per cui è meglio che stia zitto e lasci parlare solo chi è competente".

Che poi, i TG fanno lo stesso. O ci raccontano di disgrazie oppure di boiate. La via di mezzo, la notizia normale, non c'è, non esiste più. Prima si parla del tipo che si scatafratta dal burrone e poi se quest'anno va di moda la minigiropassera o la palandrana. Passi dal serial killer che sega le donne col Minipimer alla novità dall'America: le dentiere coi denti da vampiro per anziani che vogliono festeggiare Halloween. In mezzo, il nulla. Notizie normali di politica seria, cultura, società: zero. In pratica, ci danno da mangiare o lo spezzatino di bue grasso che ti resta sullo stomaco o le bignole alla panna che si sciolgono in bocca. O lo stinco di maiale o il croissant.

Vorrei mandare un messaggio, un augurio, un porte-bonheur a quelli che stanno in coda davanti alle villette dei delitti e a quelli che ci fanno sopra ore e ore di talk show. Io vi auguro con tutto il cuore che vi si fermi la caldaia nei giorni della Merla. Che vi si stacchi il ponte degli incisivi un secondo prima di andare in onda. Che, uscendo in strada, vi caschi il pianoforte di George Clooney in testa e che Malkovich, invece di proporvi un cambio, dica che va bene così. Che vi scappi la pipì quando non ci sono gabinetti vicini e che vi passi quando è ora di fare il prelievo delle urine. Che ogni ciliegia che mangiate abbia dentro un verme, che vi torni l'acne e vi vengano dei brufoli grossi come le colline del Chianti, e che quando pagate le tasse col bonifico vi sbagliate di uno zero in più. E poi vi auguro altresì di mettere un tacco a spillo nello scambio del tram e l'altro su una cacca di cane, così che si crei una divergenza parallela e mentre una gamba resta inchiodata l'altra vada pattinando fino a una vostra totale apertura a compasso. Naturalmente... senza rancore. Solo con tanto, tanto astio.

Il grand cul di Carlà

Pare che stia per uscire un suo nuovo CD. Vogliamo fare la ola? Avremo altre dodici o tredici canzoni sublimi. Una però, la più sublime, era in Rete, o almeno, lo era fino a qualche tempo fa perché purtroppo l'hanno tolta. Merita, posso proprio dire che merita. È la versione in italiano di *Douce France*, quella di Trénet. 'Sto poveretto è morto giusto dieci anni fa, e per non lasciarlo riposare in santa pace, la Bruni ha pensato bene di massacrare una sua canzone.

Voi dovete ascoltarla, perché descriverla non si può. Tu l'ascolti e ti sale la pressione. Ti escon fuori i denti da caimano. L'impianto sonoro è quello classico di Carlà: chitarrina spompa e vocina sifula. Ma più sifula del normale, sifulerrima. E pure il testo è un capolavoro, piega proprio le ossa. Diciamo che lo stile è un po' quello dei grandi successi di Apicella. "Dolce Francia, caro pa-èse dell'infanzia, mi hai collata di speranza e ti ho presa nel mio cuor..." Guardate, io l'ho ascoltata e riascoltata, e vi assicuro che dice proprio così: "Mi hai collata di speranza". Forse ho capito male. Magari sarà "colata"? "Mi hai colata di speranza", nel senso che "mi hai colato addosso secchiate di speranza"? O vorrà dire: "Non stavo insieme e mi hai incollata di speranza"? Mah. E poi, scusa, andava bene che Trénet cantasse "cher pays de mon enfance" perché lui era francese. Ma la Bruni? Quale paese dell'infanzia, il suo paese dell'infanzia è Castagneto Po, qui, in collina, altro che dolce Francia! Non è finita, poi continua: "Io ti amo, e ti dedico 'sto brano, io ti amo, nella gioia e nel dolor...". Un verso di stampo scespiriano. Che costernazione suprema.

Certo che c'ha un fondello la Carlà: è nata ricca, è nata gnocca, è diventata una top model miliardaria, si è messa a raschiare la chitarra e ha venduto un sacco di dischi, ha detto: "Mi cerco un fidanzato" e si è trovata col presidente francese, adesso, a mille anni, ha detto: "Voglio un figlio", trac, cotta e mangiata. Ci sono donne che sbattono la testa al muro da anni perché non riescono ad averne e lei, oplalà. Guarda che non è così facile restare incinta a quarantatré anni, per di più con un marito presidente della Repubblica, che non può correre a inseminarti ogni volta che è il momento giusto. Già è difficile con i mariti normali beccare l'ora x, l'attimo fuggente, perché lui una volta è in ufficio, un'altra alla partita, un'altra ancora in palestra, o anche solo spiattato davanti alla televisione che per smuoverlo ci vorrebbe la modella di Intimissimi. Figuratevi con il presidente della Francia.

Guarda che bisogna avere veramente un deretano che è un rimorchio, un hangar, un cul de montgolfière, la Tour Eiffel sul derrière. E anche qualche potere magico, come quello della strega Grimilde. Se la guardi bene, Carlà, in effetti, un po' ci somiglia. Gli zigomi ad albicocca sono uguali. Scommetto che, se volesse, col suo fluido magico riuscirebbe pure a far crescere suo marito. Se Nicolas resta tappo, è perché a lei va bene così.

Il salvataggio del lupo Navarre

Non so se avete visto su YouTube il video del salvataggio del lupo Navarre. Vi spiego: un lupo ferito, che hanno chiamato Navarre, è caduto dentro a un torrente di montagna ed è rimasto, impigliato a dei rami, nell'acqua gelida per un sacco di tempo fino a quando quelli della Protezione animali non l'hanno salvato. Peccato che lui fosse semistecchito e che, quindi, gli abbiano dovuto praticare prima il massaggio cardiaco e poi la respirazione bocca a bocca. Una donna. Al lupo. Ed è una delle cose più belle, più tenere, più amorevoli e più umane che io abbia mai visto... Lo dico perché, abituati come siamo a farfalle, inguini, modellini di navi e facce di bronzo, questa roba non può che spalancarti il cuore. Non c'è potere, denaro, convenienza, solo l'uomo e la bestia, bellissimo. E se lo vedi, capisci che siamo tutti, animali e uomini, su una stessa barca, e che se solo l'avessimo guidata meglio adesso saremmo tutti più felici e meno teste di cacchio. Andatelo a vedere. Tutti. Tutti tranne Giovanardi. Tra l'altro, facciamo in modo che non lo venga mai a sapere, altrimenti tocca sedarlo. Una donna che bacia un lupo? Figurati. Se sente una cosa del genere, gli si allentano gli orifizi. Guai, gli partirebbe un ginger, una furia che non lo tieni più... Se vede una roba così Giovinco? Quello parte per la tangente e ricomincia a stavanare, a dare i numeri...

Comunque, che bravi quelli della Protezione animali, eh? Altro che i veterinari dell'Amaro Montenegro che hanno salvato un cavallo una volta e per il resto si sono votati all'inutile. Una volta salvano una campana, un'altra un vaso antico, un'altra portano un pezzo di ricambio nel deserto. Era già dal salvataggio della campana in mare che avevo il sospetto che i copy del Montenegro si drogassero con la segatura per i gatti. Vi ricordate? Tirano su 'sta campana a un chilometro dalla riva perché un temporale l'ha buttata fin laggiù. Una campana di due tonnellate. Che vola per un chilometro spinta dal vento. Ma quale minchia di tsunami può fare una cosa simile?!

Ultimamente, invece, salvano un'orchestra su una piattaforma in mezzo al mare, che la bufera ha portato al largo. Un'orchestra su una chiatta. Che diavolo ci fa un'orchestra in mezzo al mare? Per chi suona? Per i polpi? Per un pubblico di palombari? "Eh, c'è stata la bufera...", e intanto vedi il mare piatto come l'olio, un lago, una moquette. Non solo: a salvare l'orchestra, invece dei guardiamarina, arrivano i soliti due allegri pirla di archeologi che non si capisce che cosa c'entrino. Io mi chiedo: dove le trovano 'ste trame? Cosa dobbiamo aspettarci al prossimo giro? Vi regalo un'idea: i Montenegro boy salvano un'oca che si è persa su Marte, volata via dopo un temporale. Ubriaca di Jägermeister.

Parlami d'amore, Marion...

Da un po' di tempo a questa parte, quando c'è da dire una cazzata, nessuno si tira indietro. Anzi, è una gara. Stiamo già con l'aria nei polmoni e la bocca aperta in modo che appena ci viene in mente una minchiata esce subito senza sforzo. Ma non è che tutto quello che ci passa per la testa dobbiamo tirarlo fuori... possiamo anche trattenerci un attimo. Dobbiamo fare come per i rutti: ti vengono su ma non è che li fai esplodere davanti a tutti. Te li tieni dentro e poi, con calma, nel silenzio di casa tua, li fai brillare. Il rutto in pubblico è osceno tanto quanto nell'intimo delle pareti di casa è gagliardo.

Tempo fa Stracquadanio ha detto che chi guadagna cinquecento euro al mese è uno sfigato. Ecco un esempio di uno che, nel dubbio fra dire o non dire una cazzata, sceglie sempre per il meglio. Certo, Stracqua, che guadagnare cinquecento euro al mese è da sfigati, è molto meglio portare a casa quei dieci o venti milioni di euro fregati al partito, quelle belle bustarelle che i colleghi tuoi della politica molto spesso si intascano alla faccia di tutti noi che paghiamo le tasse. È molto meglio, e non è da sfigati, farsi regalare le case dai costruttori e rubare sugli appalti invece di vivere da precari...

Temo solo che, a forza di continuare a tradire la fiducia degli elettori con queste affermazioni del cacchio, con queste – scusami Stracqua – tavanate che non stanno né in cielo né in terra ma solo nel cranio tuo, prima o poi ci sarà qualcuno che si secca oltre misura. E il bello è che voi politici vi stupite se ce l'abbiamo con voi: "Ma come mai?". "Ma perché?" Perchééééé??? Allora, vi faccio l'elenco dei perché. Decidete voi i vostri stipendi. Decidete le vostre pensioni. Tagliate le nostre e non toccate le vostre. Nonostante guadagniate un mucchio di soldi, rubate. Avevamo detto no al finanziamento dei partiti e vi siete finanziati lo stesso; oltretutto quei soldi ve li imbertate per i fatti vostri o ve li rubate fra di voi. Ora, poi, non state più combinando un tubo perché c'è un governo di tecnici, ma anche quando eravate voi a decidere – pagati per farlo e farlo bene –, non avete deciso una mazza, e vi stupite di tutto questo odio? Ma volete davvero che arriviamo a non poterne più del tutto? Non ci manca mica tanto, sapete? Cambiate musica finché siete in tempo perché non io, che sono mingherlina, ma qualcuno che vi infila due dita nei buchi del naso e vi tira su tutti di peso, tranne Crosetto che è enorme, si trova in giro. Fate basta. Dateci un taglio. È un consiglio da amica.

Comunque, nonostante le difficoltà, Monti è arrivato alla fase due. Dice che dobbiamo trovare il modo per far pagare gli evasori fiscali. Se no noi, per carità, paghiamo, ci mancherebbe, però quelli che fottono lo Stato rimangono impuniti. Monti? Montino? Montagnola? Petit Montagnard? Scusa se mi intrometto, volevo solo dirti una roba. Semplice. Da cretina quale sono. Noi abbiamo cominciato a capire che chi non paga le tasse più che sentirsi furbo lui, fa fessi noi; soprattutto, stiamo imparando a chiedere gli scontrini e le fatture. Ma Montino mio, Yves Montan, di queste fatture e di questi scontrini che accumuliamo – permettimi una domanda con rinforzo –, cosa minchia ce ne facciamo?! Anzi, la dico alla Messner, cosissima minchissima ce ne faccianissimo?! Io la chiedo anche, la fattura, al meccanico o all'idraulico, ma se poi non posso scaricarla, cosa me ne faccio? Ci incarto la pizza? Ci accendo il camino? O la fumo nella pipa? Perché non scrivete una legge, tu e Passerotto, che permetta di scaricare le fatture? Se no io posso anche farmi fare la fattura dall'antennista che mi ha cambiato la parabola, posso anche pagare il venti per cento in più, ma poi cosa me ne faccio? Me la schiaffo come una tendina anti-mosche a difesa delle parti molli?

Io non ne posso più di vedere gente con la Ferrari che dichiara un reddito che non basterebbe a comprare l'abbonamento del tram; gente che va in giro con la Ferrari Testa di minchia, altro che Testa Rossa; gente con un panfilo così grosso che la prua è parcheggiata in Sardegna e la poppa a Sanremo; che si lava i denti con lo champagne, si pulisce il derrière con le felpe di Armani e che, invece di giocare a palle di neve, si tira i tartufi, e poi dichiara un reddito da pensionato con la minima. Persone alle quali auguro con tutto il cuore diarrea forever, più scariche di diarrea che battiti di ciglia. E poi ci sono quelli che evadono e dicono: "Ma... io non dichiaro nulla perché se no non ci sto dentro con le spese" Ah sì? Noi che paghiamo, invece, ci stiamo dentro un casino con le spese, ci sguazziamo, voi non ci state dentro e noi ci stiamo larghi, pensate. Noi i soldi li buttiamo nella raccolta della carta.

Amici, che mi piace, in questa sede, chiamare "musetti da culo", noi che ogni anno diamo allo Stato quello che, se restasse in tasca nostra, ci farebbe felici, consapevoli che paghiamo tanto perché c'è qualcuno che invece non paga, sapete che ne abbiamo due balle esorbitanti?

Mariolino? Parlami d'amore Marion? Una promessa devi farcela, però. Che, se i cretini che non pagano cominciano a pagare, le tasse, a chi le pagherà, cominceranno a calare.

Sono tutti matti

Avete presente Paris Hilton? Perfetto. La Parisona alcuni mesi fa si trovava in vacanza a Bali... in vacanza da cosa dio solo lo sa, visto che il termine "vacanza" presuppone, prima, una qualsiasi attività da interrompere. Diciamo che era a Bali e basta. Mentre si rosolava al sole sulla spiaggia indonesiana ha trovato un cane randagio. Solo e affamato. E cosa ha deciso di fare per sfamarlo la nostra amica Garibuia (che è quello che nascondeva i soldi nelle tasche degli altri)? È andata al supermarket e ha comprato un bustone di crocchette? Ma certo che no, non si è mica Paris Hilton per niente. È corsa al ristorante più vicino, gli ha fatto cuocere una bistecca da sessanta euro, e gliel'ha fatta servire, ecco. Vogliamo commentare? No, non vogliamo. Meglio passare alla prossima follia.

Tempo fa Luciano Benetton in una campagna pubblicitaria del suo marchio ha fatto uscire un manifesto in cui si vedevano il papa e l'imam che si baciavano. Sulla bocca. L'imamone e il papone stavano lì, incollati a ventosa come Belén e Belìn. Ed è successo un pandemonio. La cosa bella è che Benetton è caduto dal pero: "Non capisco come mai...".

Luciano? "Come mai?" Fai una foto del papa che si bacia con un uomo, la appendi a Roma a Castel sant'Angelo e ti stupisci che si offendano? Se te la stampavi e te la tenevi nel portafoglio nessuno ti rompeva, ma c'hai tappezzato Roma. Cosa ti aspettavi? Che il Vaticano si entusiasmasse? Che ordinasse delle felpe nuove per le guardie svizzere con su stampata la foto? Che ti ordinassero delle salopette col cardinal Bertone e Ahmadinejad che ballano insieme il merengue? Ma Luciano? Ti sei fumato la lana d'angora? "Eh, mi sembrava un segno di pace." Sì, ma come segno di pace ti stringi la mano, non è che ti metti la lingua in bocca. Pensa: "Scambiatevi un segno di pace" e tutti: "Slurp...". Cara grazia che 'sta foto non l'ha vista l'imam, Benny. Quelli ci mettono un attimo a farti a pezzi tutti i maglioni con la scimitarra...

Ma passiamo a un'altra notizia. Gianna Nannini ha dichiarato due punti "Potrei rimanere ancora incinta". Sì. Potremmo assistere a un'altra gravidanza della nonna Nanni. Contenta lei...

Giannona? Ti ricordo solo che hai cinquantotto anni. Il pensiero che, quando tua figlia, a quindici anni, vorrà andare in discoteca, tu dovrai uscire alle due di notte per andarla a prendere – e avrai settantatré anni –, non ti inquieta? Già adesso racconti che a furia di prendere in braccio la bambina ti è venuta la tendinite, figurati fra dieci anni... Quando Penelope andrà sullo skateboard, per starle dietro ti toccherà mettere a rischio il femore.

Comunque, Giannina dice che sua figlia ha una bellissima voce e che questo è dovuto non tanto a qualche gene ereditario quanto al fatto che lei ha sepolto un pezzettino del cordone ombelicale sotto una pianta di rose. Pare che sia una tradizione toscana: se seppellisci un tocchetto di cordone ombelicale sotto una pianta di rose, il bambino avrà una bella voce. Pensa se lo avessero saputo i genitori della Rosa Russo Jervolino... E chissà se esistono altre piante che danno altri effetti? Per avere le gambe lunghe, dove lo seppellisci, il cordone, sotto i girasoli? E per avere due belle tette, sotto una pianta di cachi?

La Giannarella dice che per lei sarebbe abbastanza facile restare incinta. Sì, perché lei non si è massacrata di cure ormonali. È stato tutto molto naturale. Boh. A me risulta che a sessant'anni la maggioranza delle donne ha chiuso la gelateria già da un pezzo. Lei, invece, ha ancora le uova d'oro come la gallina? In pacchi da dodici e formato extra large? Bah, beata lei.

Mary per sempre

A me la Defilippa fa molto ridere. La Mary per sempre. Intanto è sempre in splendida forma. Si vede che l'hanno imbottigliata come si deve. Mezzo secolo portato benissimo. C'avrà anche la voce di Camilleri ma ha il fisico di una ventenne. Quest'estate si è fatta tutte le copertine in costume con addominali che neanche Josefa Idem. Ormai Maria ha i pettorali di Balotelli, le chiappe di Pippa Middleton e le cosce di Rin Tin Tin. Sai cos'è? Tonica. È come la Schweppes, la Mary. Sarà Maurizio che le dà 'st'allenamento? Che gli vola sulle piume e la mantiene giovane? Tra l'altro, non balla neanche più. Glielo avrà proibito la Questura. Quando ballava sembrava una mutanda appesa ai fili dello stendibiancheria.

Sai qual è il suo segreto in tivù? Che lei non si scompone mai, non sdà. Allora: Bonolis suda. Come entra in studio gli vengono due aloni a forma di fiorentina sotto le ascelle. Perché si agita. Fiorello è come se gli avessero messo un ragno nelle mutande, non sta fermo un minuto. Conti, più si sbatte, più annerisce, come i carciofi. Panariello, a puntata, perderà sei chili e due anni di vita. Alla Clerici balla la tettonica a zolle ogni volta che respira. E la De Filippi? La De Filippi no. Lei conduce seduta su un gradino. Microfono che quasi le cade dalle mani, lei guarda. Lei conduce guardando. Ogni tanto la inquadrano, giusto per contratto, lì col microfono in mezzo alle gambe, che pensa ai cacchi suoi. Non fa la conduttrice, fa come il maremmano con le pecore: le tiene d'occhio. Giusto che non si ammazzino tra loro. Bon. È ovvio, Maria, che così puoi fare anche sei programmi al giorno... Perché non il telegiornale? Ti metti lì, microfono spento, la testa sul tavolo, dietro passano i servizi e sei a posto.

Insomma, lei guarda. Delle volte neanche dalla parte giusta. Seduta così, accasciata quasi, sembra una che ha appena perso il treno. La chiamassero a presentare a Sanremo, si siederebbe in platea con una birretta. I cantanti entrano da soli, cantano, escono e lei ogni tanto annuncia con la voce di Rocky: "Pubblicità".

Il meglio di sé lo dà a "C'è posta per te". Vi svelo un segreto. Per trovare sempre nuove storie Maria fa così. Ha degli informatori che le dicono quando qualcuno nel mondo si manda affanculo. Poi lei aspetta sette-otto anni per essere certa che i due si siano sfanculati come si deve, poi li chiama e prova a fargli fare pace. Se ci riesce bene, se non ci riesce, se ne sbatte. Grazie e arrivederci.

Una volta arriva la sorella che ha perso il fratello durante il Carnevale di Ivrea e non lo trova più da sedici anni; un'altra lo zio che si travestiva da donna e andava ai provini di "Veline"; poi marito e moglie separati in casa dal cartongesso. Manca solo uno che chiede perdono ai maiali perché mangia il prosciutto. No, perché poi lì partono tutti belli pimpanti e dopo due secondi fanno già il mentino. Hai presente il mentino che trema? Li vedi che si trattengono, si fanno venire gli occhi lucidi come le mucche degli alpeggi, ma poi alè, aprono la diga...

Il brutto è che non hanno mai i fazzoletti. Minchia, Maria!? Procuragli dei fazzoletti. Fatti sponsorizzare dai rotoloni Regina. Noi a casa sentiamo solo 'sto futt futt, lo smucinamento di naso tamponato con la mano... Ma che schifo!!! Ad "Amici" sudano, a "C'è posta per te" piangono. Il segreto del successo nelle trasmissioni di Maria è che gira tanta acqua e sale, il resto va da sé.

L'unica trasmissione dove l'ho vista onesta e pura, bastarda e dura è stata "Italia's Got Talent", quella dove i giudici schiacciano il pulsantone per mandare via quella tundra, quel container, quel risotto di dementi che vanno lì a sdare. Uno nudo, l'altro in mutande, quell'altro ancora che sta in piedi sulla lingua, l'altro che suona la cornamusa usando fiato di dubbie origini... Anch'io so fare una cosa da talent. Una volta mi è entrato in casa un topo e ho camminato sul soffitto come Spider-Man. E poi ho uno zio che sa bere l'acqua dal bicchiere con la dentiera dentro senza farsi male. Te lo mando?

Laila come noi

Laila è solo l'ultima in ordine di tempo. Aveva venticinque anni, era marocchina e lavorava al Lingotto da poco. Il suo innamoratissimo fidanzato le ha tappato la bocca perché nessuno potesse sentirla, l'ha uccisa a coltellate e poi l'ha scaricata in riva al Po.

Un'altra storia che si ripete sempre uguale. In Italia in media ogni due o tre giorni un uomo uccide una donna, compagna, fidanzata, amante, ex. La uccide perché la considera di sua proprietà. Perché non concepisce che una donna appartenga a se stessa, che sia libera di vivere come crede e persino di innamorarsi di un altro.

Ma è anche colpa nostra sapete ragazze? Perché noi, quando siamo innamorate, non distinguiamo più. Ci rimbambiamo. Scambiamo tutto per amore, mentre l'amore con la violenza e le botte non c'entra un tubo. L'amore, con gli schiaffi e i pugni, c'entra come la libertà con la prigione. Noi di Torino, che risentiamo della nobiltà reale, siamo soliti dire che è come passare dal risotto alla merda. Un uomo che ci mena non ci ama. Mettiamocelo in testa. Salviamolo sull'hard disk. Vogliamo credere che ci ami? Bene. Allora ci ama MALE.

Non è questo l'amore. Un uomo che ci picchia è uno stronzo. Sempre. E dobbiamo capirlo subito. Al primo schiaffo. Perché tanto arriverà anche il secondo, e poi un terzo e un quarto. Invece noi ci illudiamo di poter cambiare le cose, di poter correggere gli uomini maneschi, di riuscire a farli crescere anche quando gli si è bloccato lo sviluppo, e scalciano e urlano come bambini capricciosi. Solo che sono bambini alti uno e ottanta, con le spalle da gorilla e le mani che sembrano vanghe. Non illudiamoci mai, mai e poi mai, di poterli cambiare, o che possano cambiare per amore nostro. Anche se piangono come vitelli e dicono che non lo faranno più. Non caschiamoci e chiediamo aiuto il prima possibile. E se una figlia ha un fidanzato così, prendiamola, impacchettiamola e riportiamola a casa. Magari si incazzerà come una belva, magari ci dirà di farci i fatti nostri, ma lo farà da viva, e c'è una bella differenza.

Tiro al piccione

Spostiamoci a Como. Siccome la città è invasa dai piccioni, l'assessore provinciale alla Cultura ha organizzato un corso di tiro a segno per diventare impallinatori di piccioni professionisti. Che uno dice: cosa c'entra la cultura con i piccioni? C'entra perché l'assessore è assessore alla Cultura e alla Caccia. A Como stanno insieme. Ma che senso ha? O sei assessore alla Cultura o sei assessore alla Caccia, altrimenti è come essere assessore alla Pubblica amministrazione ed esperto di furto con scasso, assessore alla Sanità e padrone di una tabaccheria. La cosa meravigliosa, però, è un'altra. Sai come si chiama il nostro uomo? Signor Mario Colombo. È come se un politico parlasse di stitichezza e si chiamasse Clistere. Capite? Ci vorrebbe almeno un po' di solidarietà della specie, è come se il signor Lepre sparasse ai conigli o il dottor Cernia pescasse le acciughe.

Quest'uomo ha preso di mira i cugini pennuti e prima ha provato ad avvelenarli, ma non ha funzionato, poi ha assoldato i serial killer. Naturalmente sono scoppiate le polemiche, gli animalisti sono insorti, e lui si è difeso dicendo: "Scusate, se ci sono topi o scarafaggi si fa la disinfestazione, no?". Sì, d'accordo, però ai topi non gli spari, e agli scarafaggi nemmeno. Non è che nelle cantine arriva Rambo col mitragliatore e fa fuori i ratti o che elimini le blatte tirando le bombe a mano nei lavandini! Oltretutto, se il cecchino sbaglia e mi impallina il cane, il gatto o magari il marito che va fuori a buttare la spazzatura?! La situazione è poi degenerata perché hanno mandato a Colombo una lettera minatoria con su scritto: "Farai la stessa fine dei piccioni".

Io una via d'uscita ce l'avrei: propongo a Colombo di vestirsi di stracci e di piazzarsi con un cappello di paglia in testa in mezzo a un incrocio. Può essere che i piccioni si spaventino. C'è solo il rischio che gli defechino addosso. Il che sarebbe una novità: un piccione che caga in testa a un colombo.

Gay al volante

Siamo alla follia. A un ragazzo di Brindisi, tale Cristian Friscina, non hanno rinnovato la patente perché è gay. Avete sentito bene: perché è omosessuale. E, tra l'altro, non è la prima volta, perché anche a Catania, tempo fa, avevano sospeso la patente a uno per "disturbo dell'identità sessuale". Ma ti pare? La macchina la guidi male perché sei gay? Perché, come la guidi? Col sedere verrebbe da dire... Ci sono un sacco di etero che l'auto la guidano così. Io, per esempio. Se sei omosessuale cosa fai di pericoloso, ti siedi sul cambio? Dato che sei invertito, inverti continuamente anche il senso di marcia? E poi, come facevano a sapere che il ragazzo brindisino era gay? Lo hanno visto camminare come Lola Ponce? Cosa importa quello che combini nel letto quando devi guidare una macchina? L'importante è non fare del ciupa dance a centosessanta chilometri all'ora sulla Torino-Savona. Non è che se sei gay lo segnalano sulla patente, come "guida con lenti". Se uno è gay cosa scrivono, "guida da Elton John"? Ma la vogliamo finire con 'ste boiate? La vogliamo smettere una volta per tutte di considerare l'omosessualità una malattia? No, perché allora dovete dirci come si contrae. Ascoltando un CD di Tiziano Ferro? Guardando una puntata di "Kalispera" di Signorini? E quanto è contagiosa? Voglio dire, se qualcuno sfiora Malgioglio in ascensore, deve farsi vedere? È un malanno stagionale che va a periodi come l'influenza? "Sa che mio marito è stato a letto per due settimane?" "Con la febbre?" "No, con un tizio coi baffi..." Ragioniamo, se fosse una malattia, le case farmaceutiche non avrebbero già fatto a gara per inventarsi la medicina giusta? Ormai producono di tutto. Dal cerotto contro il mal di mare al cannolo incendiato per sturare le orecchie, vuoi che rinuncino a una medicina cura-gay? Che, se la prende, Lele Mora diventa Gad Lerner? Se la gaytudine fosse una malattia, figurati, ci sarebbe la chimica farmaceutica in festa, pirla che siete! Ad ogni modo, se trovano la medicina giusta consiglio però di non farla in supposte, se no siamo da capo.

E così, ogni tanto, le boiate sui gay ritornano. È un classico. Vi ricordate la polemica sul manifesto dell'Ikea? Il polemicone del prode Giovanardi? Sui muri di Catania erano comparsi dei manifesti in cui si vedevano due uomini di schiena che si tenevano per mano e sopra la scritta NOI DELL'IKEA SIAMO APERTI A TUTTE LE FAMIGLIE. Io allora avevo pensato: "Che bel messaggio di civiltà e di accoglienza". E avevo persino canticchiato Cremonini: "Ho visto un posto che mi piace, si chiama mondo...". Peccato che, invece, il Giovannone Coscialunga sia andato giù di testa. Quando ha visto il manifesto le pupille sono andate a sbattergli contro gli occhiali... sbeng. Gli fumavano gli amici di maria come la carbonella del barbecue.

Allora, io li ho visti, 'sti due uomini del manifesto. Sono assolutamente e indiscutibilmente normali. Uno dei due potrebbe addirittura essere scambiato per Giusy Ferreri di spalle coi capelli corti, il che farebbe cadere ogni polemica. Tra l'altro sembra che si tengano per mano, ma forse si stanno solo passando la matitina di legno dell'Ikea. Ma anche appurato che sono due che stanno insieme, io non capisco tutto 'sto casino. Perché? Due uomini o due donne che vivono insieme e condividono l'armadio quattro stagioni non sono una famiglia? Certo, non classica e regular, ma che importa? E qual è la famiglia? Quella tradizionale? Un marito, una moglie e l'amante che non si vede perché è nascosto nell'armadio Sgnuffa dell'Ikea? Poi, a ben vedere, non è affatto un manifesto offensivo, tutt'altro... No, dico, capirei se avessero fotografato due che si frugavano nelle braghe con la scritta ECCOLO QUA, IL PEZZO CHE NON TROVAVO! Oppure i due incastrati uno sull'altro come i ripiani di una libreria con sopra la scritta NOI DELL'IKEA SIAMO APERTI A QUALSIASI TIPO DI MONTAGGIO. In quel caso, capirei, si tratterebbe di ostentazione.

La cremina anticoncezionale

Grandi novità dal mondo dei contraccettivi femminili. Gli inventori di questo tipo di prodotto sono un po' come quelli degli assorbenti: stacanovisti. Non si fermano mai. Farebbero la gioia di Marchionne. E ora, dopo la pillola, il cerotto, l'anello, le spirali e mai più finito, è spuntata la crema. La nuova cremina anticoncezionale. Basta spalmarsela addosso e lei rilascia a poco a poco un ormone progestinico che blocca l'ovulazione. Funziona esattamente come il cerotto, solo che non si stacca e non rischi di trovartela appiccicata alla fronte dopo una notte agitata.

Ci saranno vari gradi di protezione? Tipo che se una va a letto col marito basta la crema pasticcera, ma se va a letto con... Ligabue, per esempio, ci vuole il fattore di protezione 26? E con Russell Crowe, poi, che è maschio all'ennesima potenza, devi dare una prima mano, aspettare che asciughi, stenderne una seconda, passare la carta seppia e alla fine fare anche le rifiniture? E alle volte filtra lo stesso...

Ma poi – mi chiedo – dove te la spalmi? Vicino alla jolanda farà più effetto? Se la stendi lì intorno, nella zona calda diciamo, là dove la festa impazza, secondo me fai una boiata perché il walter arriva al galoppo e metti sulla strada giusta lo spermatozoo. Meglio darsela sotto le ascelle, per depistare. Gli spermatozoi non devono essere furbissimi... un po' come i loro padroni. Attente però a non metterla troppo lontana dal punto utile, se no non fa in tempo ad agire. Tipo che se, per esempio, te la spalmi sulle orecchie, prima che l'ormone arrivi all'utero, sei già incinta di due gemelli...

Ne basta pochissima, dicono. Sì, ma non nel mio caso. Io mi conosco, sono paranoica: se devo dipendere da una crema per non restare incinta, io me ne spalmo un tubo per volta, mi fodero, mi faccio il bikini di crema, che un eventuale walter in visita scivolerebbe come le anguille di Comacchio prima di centrare il bersaglio. E poi, se sbaglio tubetto? Se, credendo di mettermi l'anticoncezionale, invece mi ungo con l'autoabbronzante? Mi ritrovo nera come Balotelli e incinta.

Conoscendo i maschi – perché di certo sono maschi quelli che l'hanno inventata –, vedrai che, sperimenta che ti sperimenta, faranno una crema che oltre a essere anticoncezionale avrà anche un effetto anticellulite e idratante. E alla fine passerà il concetto che più fai l'amore, più usi la crema e più ti va via la cellulite. Così, se il tuo lui ti becca in bagno che ti spalmi una crema, ti vola sulle piume pensando: "Ecco che ci siamo!". Mentre invece tu, magari, ti stavi solo facendo la ceretta a caldo e finisce che lui si ustiona il walter.

L'inutilità del mignolo

Ho come la sensazione che il caldo torrido di queste ultime estati mi faccia maturare più in fretta, come le pesche quando sul portafrutta ci batte forte il sole. Si invecchia alla velocità della luce, cari miei. Io ho quarantotto anni ma me ne sento ottantaquattro portati a stento. Alla sera apro la "Settimana Enigmistica" ma non riesco nemmeno a risolvere il primo rebus. Piego la testa come un papavero e crollo. Quelle che ho intorno agli occhi una volta somigliavano alle crepette che di tanto in tanto trovi sopra i formaggini. Adesso sono più come le venature della pipa, le pieghe di una bandiera, i lampi che i monsoni tropicali disegnano nel cielo. Non sono rughe, sono dei plissé.

Anche agli uomini, però, lasciatemelo dire, la stagionatura non porta tutte queste migliorie... Il vostro boy ce li ha già i peli bianchi nell'infracosce? E il ginocchio coi risvolti in pelle? Il tatuaggio che cola come le scritte dei film dell'orrore? L'allungamento verso il basso degli amici di maria? I peli sulle orecchie gli crescono già a velocità maggiorata? Gli sono già spuntati i peloni sulle sopracciglia simili alle antenne delle aragoste? Beate quelle che hanno un marito che a vent'anni ne dimostrava già sessanta.

Come se non bastasse, non appena leggo due righe sull'andamento dei mercati mi si aggiungono rughe nuove alle vecchie. No, perché, amici, noi siamo nel guano. E l'ho detta in maniera forbita. Ma potrei anche dire: siamo nella cacca, nel merdone, nel letame. Va bene che dal letame nascono i fiori, come cantava De André, ma quando uno ha la sensazione di trovarsi nella busa fino al collo il nesso poetico non è così consolante. La sensazione è, piuttosto, quella di quando tiri l'acqua nel gabinetto alla turca intasato: per quanto tu faccia un salto indietro, è sempre troppo tardi.

Sai cosa? In questa situazione mi sento inutile. Inutile come il mignolo del piede...

Fra l'altro, apriamo 'sta parentesi, si vede che il Creatore l'ha fatto di malavoglia, il mignolo: storto, corto e girato in dentro, un mezzo fusillo, una carota da orto biologico. E poi, è il dito con l'osso più fragile e me lo lasci così esposto? È quello che sbatte sempre negli spigoli, se c'è una sdraio in spiaggia che sbuca dalla sabbia, tan, la centra lui, che ti viene quel dolore che ti flamba il cervello. Dico, dovevi fare un dito striminzito? E mettilo almeno in mezzo, che i fratelli più grossi lo proteggono... Ti avanzava un ossicino e un po' di ciccia? Meglio usarlo come pezzettino di coda per farsi capire anche senza parlare, che non come ditino da tartaruga, che quando gli devi dare lo smalto ti vernici tre dita insieme.

Comunque, tornando al discorso di prima: i nostri parlamentari dicono che bisogna andare cauti perché c'è in ballo il bene del Paese. Il bene del Paese??? Ma quale bene del Paese!!! Il bene del loro culo, scusate il francesismo. Ma fatemi dire: parlano tutti del bene del Paese, ma a ognuno per prima cosa interessa sapere che fine farà il proprio didietro e soprattutto su quale poltrona rimarrà appoggiato. Che, se vogliamo essere onesti, non è nemmeno sbagliato, perché il "Paese" è importante, ma vuoi mettere il proprio gnau? E noi, che vorremmo sapere che fine fa il nostro, dobbiamo aspettare. Un culo alla volta per carità!

Non potrebbero non dico estinguersi ma almeno dimezzarsi i parlamentari? Non era girata voce che l'avrebbero fatto? Eh sì. Si dovevano dimezzare, come i cracker, di due farne uno. Certo che di un Fassino farne due è difficile... Forse di Calderoli ne puoi fare due, anche tre, ma di Brunetta e di Maroni... ciao. La verità è che invece di prendercela con la casta, dovremmo domandarci: "Chi è il cretino che li ha votati?". E risponderci: "SONO IOOO!!! QUEL CRETINO, SONO IO!!!".

Perché non proviamo a cambiare rotta una buona volta? Mettiamo il Paese in mano alle donne. La Bonino, per esempio: è dolce, determinata, sa ascoltare, sa parlare e poi sopporta Pannella da anni. Ti leva il fiato, Giacinto, ha un modo di scassare i maroni tutto suo. Se l'Emma resiste a lui vuol dire che ha una tempra d'acciaio. Anche la Marcegaglia o la Camusso, per dire – che certo non la pensano nello stesso modo –, sono due caterpillar, due spazzaneve, due vaporelle. Dure, toste e spesse come due gomme da SUV. Con altre sette-otto donne così l'Italia da soufflé sgonfio ritornerebbe a essere una millefoglie. Sono una consolazione e anche un esempio.

Ragazze che siete in coda ad Arcore, ai provini per diventare gnocca da tivù, prendete esempio da loro: guardate che avere le tette non impedisce di fare anche un altro mestiere! Non è che ingombrano, sapete?

C'è tanto altro da provare, tanti lavori persino divertenti invece di fare la fila per mettersi orizzontali. Al posto di lavorare con le tette, provate a lavorare con qualcos'altro, e le tette portatele solo a spasso o fateci divertire chi vi piace e non chi vi paga.

Rimedi per maschi difettosi

Come state? Come sono andate le vostre ultime vacanze? Siete diversamente felici? Ci sono state collisioni sentimentali? Anche solo qualche tamponamento di anime? Siete ancora lì a sussurrare al nuovo ciupa dolci parole d'amore o vi è già venuta la faccia da dépliant elettorale e ve ne state a casa a mettere a mollo la dentiera? Vi manca già il verso dell'upupa, quell'uccello tignoso che smarona tutta l'estate e generalmente fa il nido proprio in coppa alla camera da letto?

E il vostro boy? È tornato brontolosauro? Che, se fosse il suo unico difetto, pazienza, una dice: "È lagnoso, ma ha tanti di quei pregi...". Invece no, la lagnosità è il collante che tiene insieme una caterva di magagne. Convincetelo almeno a farsi un tatuaggio, magari una bella flebo sul braccio. Comunque, potete sempre consolarlo con la novità dell'anno: hanno finalmente trovato la cura per la calvizie.

Se guardando il vostro compagno di merengue dall'alto, come fa Google Earth, notate una specie di pista per gli elicotteri, il parco del Serengeti, la piazzola d'emergenza dei pidocchi, potete tranquillizzarlo: un team di ricercatori ha inventato una cura in grado di arrestare, se non addirittura invertire, il processo di calvizie negli uomini.

In che cosa consiste il rimedio? In una lozione composta di plasma e polvere di vesciche suine. La domanda sorge spontanea: ma come si può pensare che l'estratto della vescica della scrofa ti faccia crescere i capelli? Al limite ti crescono delle setole, come quelle che vedi sui prosciutti di cinghiale esposti nelle vetrine degli autogrill.

E poi, è possibile che le cose che fanno bene siano sempre così schifose? E la placenta, e l'olio di fegato di merluzzo, adesso la vescica del porco. Vedrai che tra un po' diranno che inghiottire gli occhi del pollo crudi fa passare la nausea. Certo, le scoperte accadono per caso, ma che, casualmente, un maiale ti cada in testa di vescica è veramente raro, più facile che ti centri una cacca di piccione, ma quella evidentemente non cura altrimenti i posteggiatori avrebbero tutti la chioma della Tatangelo.

Attenzione, però, perché, da quel che ho capito, questo intruglio sollecita le zone dove i capelli stanno già crescendo e proprio lì te ne fa crescere di nuovi. Ma solo lì. E dove non c'è più niente? Amici della vescica, se non c'è il bulbo, è difficile che ricresca il tulipano. Non te li fa venire dove non ce li hai, ma te ne vengono tantissimi dove li hai già. Quindi chi ha quattro capelli se li tiene, ma diventeranno grossi come i fili del telefono. Pensa che orrore, uno rimarrà pelato in mezzo con due soriani ai lati oppure tutto pelato, ma con una cortina di capelli sulla nuca, tipo le tende da macellaio d'estate, quelle per non far entrare le mosche. Sempre che non gli cresca in mezzo alla zucca uno chignon come quello di Moira Orfei.

C'è un'altra novità ancora, cotta e mangiata per i nostri maschi difettosi: l'operazione che fa smettere di russare. Finalmente la finirete di spappolarci i timpani tutte le notti. Certo, perché noi tutte le notti ci troviamo di fianco un motore da fuoribordo, le trombe del giudizio universale. Dal rumore sembra vi si stacchi la trachea. Il verso di un cinghiale che litiga con una cornacchia. E quando pensate che sia arrivato l'apice del concerto, entra il tenore. Il porceddu. Il porco selvatico. Che canta la romanza. Ogni tanto fate così, fdgsahdfgsfad, masticate qualcosa di inesistente e poi, alè, riparte il basso tuba.

Comunque, adesso è arrivata l'operazione definitiva, ideata dagli otorinolaringoiatri del Policlinico di Milano. La metodica si chiama *tecnica delle tende a pacchetto*. Giuro, si chiama così, proprio perché ispirata allo stesso meccanismo della tenda che, tirando il cordino, si arriccia. Solo che, nel nostro caso, invece di alzare una stoffa, alzi l'ugola. Come tirar su una tapparella, mi spiego?

Praticamente fissi i tessuti molli della gola con dei fili e tiri. Io, però, non ho capito: tirano loro, i chirurghi dico, o lo facciamo noi? Cioè, i chirurghi, dopo aver operato il nostro amore, ce lo consegnano con la tapparella montata? E da dove li fanno uscire 'sti fili? Dai buchi del naso? O dai buchi delle orecchie? Ad altri buchi non ci voglio nemmeno pensare...

E quindi, quando russano, noi ci regoliamo come con le persiane? Solo che, se il meccanismo è come quello delle tende a pacchetto, c'è il rischio che tiri su e salgono solo da una parte... e poi, se tiri da quella, scendono dall'altra... Va be', ci organizzeremo in qualche modo.

Vorrà dire che prima di andare a letto, oltre a chiudere le imposte, abbasseremo anche la tapparella al marito. Che si deve fare pe' campà...

Caro Mr Gi

Chissà se si rimetteranno mai insieme. La Cana e George. Clooney e la Canalis dico. L'energia derivata dallo scoppio della coppia, la forza centrifuga della deflagrazione sentimentale, li aveva scagliati entrambi tra le braccia di altri. Di lei e dei suoi fidanzati abbiamo già parlato in lungo e in largo.

E il mitico Giorgione che ha combinato? Lui si è appaiato con tale Stacey, di professione lottatrice, un donnone di rovere massiccio. L'avete vista in foto? Tale e quale a una libreria di Aiazzone. Di solito i fidanzamenti di Clooney durano un paio d'anni, questa volta dopo solo un anno pare essersi già stufato. Quindi forse, tra un po', sarà di nuovo a spasso. Allora gli mando un messaggio. Proprio io, che gli sono devota da anni.

A me George piaceva tanto già quando faceva il dottore in "ER": mi sarei spaccata le rotule per farmi medicare da lui. Appena compariva in video mi saltavano i ganci del reggiseno...

Chissà come sarà George nell'intimità. Sarà uno che di notte si alza a far pipì o è di prostata forte, a zampa di elefante, che tiene più di cinque litri? E la mattina, l'alito come ce l'avrà? C'avrà l'alito dello sciacallo o quello del sacrestano che sa un po' di incenso e un po' di alano? Quando dorme lascerà la bavetta, la scia di lumaca sul cuscino? Avrà molto pelo sul petto? Sarà tipo kiwi o liscio come una patinoire? E sotto, come sarà? Rinforzato come una pizza di bufala? E poi profumerà? Di cosa saprà Clooney? Di muschio e licheni?

Me lo chiedo perché l'altro giorno mi è capitato di salire su un ascensore da cui era appena sceso un maschio. Ho sentito l'odore dei denti della iena che grondano ancora di carogna fresca. Voglio subito precisare: non è che gli uomini non facciano la doccia. La fanno, ma si lavano solo le parti comode: testa, ascelle e amici di maria. Fin lì arrivano, più giù fanno fatica. Sai, ti dovresti chinare, potresti perdere l'equilibrio, il pavimento potrebbe essere scivoloso, perciò il piede rimane sempre un po' nell'ombra, nel non detto. Insomma, il piede i maschi non lo lavano, lo inumidiscono, che è peggio, perché oltre a non eliminare l'odore succede che poi inizia a puzzare anche di muffa. Forse è così pure George. Col piede che sa di accappatoio smucinato lasciato una settimana nella borsa della palestra. E magari sono le Cana e le Stacey a mollarlo. Per quello. Bah... tanto è così per tutti. Le storie d'amore sono come le nespole. Il primo morso è quello buono, poi non fai altro che sputare noccioli...

George? Giorgen, Giò Giò? Se hai bisogno di compagnia potresti farti un giro a Torino: qui è pienissimo di gnocche che non vedono l'ora di farsi condire da un Castelmagno come te. Altrimenti, te lo chiedo in ginocchio, ti prego con tutto il cuore anche a nome di tutte le donne italiane: se sei gay diccelo, fai coming out e ce ne faremo una ragione. Abbiamo già dovuto digerire la botta di Tiziano Ferro, ma ormai siamo abituate. Non per questo smetteremo di amarti e di venire a vedere i tuoi film. Siamo di larghe vedute, e visto che comunque le nostre chance di fidanzarci personalmente con te non sono mai state altissime non cederemo alla disperazione. Se invece non lo sei, per favore, per favore, cercati una fidanzata decente.

George, "Giorgio" è lungo, ti posso chiamare Gi come il punto? Gi, se non trovi, prendi me, che ho più tette che anima! Non posso sprecare gli anni migliori della mia vita a dire minchiate in televisione.

Ascolta cosa facciamo, Gi: se tu mi sposi, io ti aspetto a casa, ti preparo una cenetta, poi ci mettiamo sotto le coperte, tu ti nascondi sotto le lenzuola, io accendo la tivù, cerco un film dove ci sei tu, dico: "Che figo quello lì, lo vorrei nel mio letto" e tu... fratt... salti fuori. Non sarebbe meraviglioso?

Giorgio, quando ti vedo non sono al settimo cielo, ho già prenotato per l'ottavo. Voglio essere per te come la maionese sul merluzzo, la bagna cauda sui peperoni, come l'orecchio di porco nella cassoeula... Se tu solo mi baciassi sentiresti che ho più gusti delle cialde del Nespresso... Ti desidero George, più di quanto desideri mangiare il secondo Pocket Coffee, appena ti vedo mi viene l'infarto eppure ti vedrei ancora per farmi venire il secondo! Sei in cima ai miei pensieri, se ti ci siedi sopra me li schiacci. Ho più amore io per te che ossa di scarto quelli che fanno la Simmenthal...

Giò? Il mio amore per te, è grosso come certi orsi, e selvaggio uguale. Se solo penso a te che mi salti sulle piume, odoro già di pollo bruciato. Tu sei il mio Gianduia e io sono la tua Giacometta.

Giorgio, insieme facciamo cent'anni di solitudine. Non è ora che diamo un senso alla nostra vita? Non mi interessano i tuoi soldi, non mi interessa Hollywood, non me ne frega una beatissima mazza di Los Angeles... Io ti amo per quello che sei, tesoro, un pezzo di vitellone di ottanta chili macinato a grana grossa... Amami George... Se invece non ti interesso, mi presenti Malkovich?

Addominali di moquette

E anche quest'anno arriverà Babbo Natale col suo manto di bontà e le sue braghe di torrone. Chissà se diventeremo tutti più buoni. Di sicuro diventeremo tutti più grassi. Già siamo belli trapuntati ora, il primo gennaio saremo tondi come il re di Tonga. Non distingueremo più il marito da uno zampone di Modena. Altro che modelli di Abercrombie... Sai, i modelli di Abercrombie che stanno, tutti figoni e a torso nudo, in quella boutique di Milano affollata di ragazzette e pischelli? Che poi io dico: vendono felpe e T-shirt e loro stanno a torso nudo? Ma che senso ha? Che pubblicità è? È come se in un negozio di scarpe i commessi girassero scalzi. Ti viene da pensare che le scarpe facciano male, capisci? Scusa, tieniti la maglietta addosso per mostrare che ti piace un casino e, piuttosto, togliti le mutande, no? Così so dove appoggiare la borsa quando mi provo la maglia.

Ecco, io non dico che devi per forza avere al tuo fianco un uomo con gli addominali di legno massello, ma nemmeno una fisarmonica di Stradella, uno come la moquette che, quando si scolla, fa le gobbe. Simili a quei grissini col prosciutto intorno che offrono agli aperitivi.

Certo, non è tutta colpa loro se si riducono così. Dopo tutto, ora c'è 'sto vizio qua. Quello delle cene per farsi gli auguri di Natale. "Dobbiamo assolutamente vederci prima di Natale per farci gli auguri." Ecco. Io mi chiedo: "Perché?". Se non ci vediamo mai, non ci caghiamo da luglio a dicembre, com'è che ci dobbiamo vedere a Natale? Ma vediamoci a marzo, a metà giugno, alla grigliata di Ferragosto. Che poi, mangiare più di quelle tre o quattro volte al giorno non si può. Non è che puoi fare una cena alle otto, una alle dieci e una a mezzanotte. E c'è un limite pure ai tè: se ne bevi più di un tot, o ne approfitti per fare un'ecografia o devi ricevere le amiche in bagno. "Sono molto incasinata Giusy... Ho giusto il tempo per fare la cacca insieme a te il 22, ti va?"

Le telefonate della Minchiamobail

Lasciatemi gridare, lasciatemi sfogare... Voglio fare come Pappalardo quando dà di matto. Come Sgarbi quando gli parte la brocca. Non so se capita anche a voi. È un periodo che mi chiamano tre o quattro volte la settimana per chiedermi se voglio cambiare contratto della luce o del gas: la Iride, la Paride, la Cabiria, la Sorgenia, la Iris e la Doris più tutta la telefonia mobilissima, Mediaset Premium, le telefonie fisse e le fesse. Tutti immancabilmente tra le otto e le nove di sera.

Lo capisco, il ragionamento è chiaro, a quell'ora siamo tutti in casa. Ma, secondo voi, siamo in casa per farci trifolare l'anima? Secondo voi, c'è proprio una corsa, da parte nostra, per farci svilire i maroni dalle centraliniste della Suit, della Clap e della Minchiamobail appena varcata la soglia? Io ve lo dico: qui marca male. C'è baruffa nell'aria. La gente ne ha già un po' piene le cime di rapa...

Io mica ce l'ho con gli operatori. Quelli, poveracci, fanno il loro mestiere. Ma siamo sicuri che non stiamo allevando una generazione di devastati? Una generazione di ragazzi e ragazze che, al loro primo lavoro, tutti i giorni si fanno mandare a stendere da chiunque? Che razza di generazione di frustrati stiamo formando, se le aziende li mettono in condizione di farsi sfancu... sfan... di essere mandati a quel paese da tutto il Paese? È vero che magari la Iride e la Paride ci fanno risparmiare e rispettano pure l'ambiente, però distruggono la psiche dei giovani virgulti.

Io cerco di rispondere sempre con gentilezza, ma sono allo stremo perciò a quell'ora, se anche ci fosse dall'altra parte la pastorella Bernadette, mi partirebbe lo stesso un boja faus da Oscar seguito da qualche nomination. Un porca trota a ultrasuoni che sveglierebbe tutti i cani del quartiere...

Trovate un altro sistema perché qui siamo alla fruttissima. Chiedo un fermo biologico di qualche settimana. Non voglio che quei ragazzi perdano il lavoro, ma chiedo un po' di tregua.

Insomma, io mi domando: come fai a credere che io, alle nove di sera, dopo tutta una giornata di snervo al lavoro, abbia la testa, la pazienza, e l'attitudine d'animo per pensare di cambiare contratto della luce? Ma manco so dove l'ho messo il contratto della luce, io a quell'ora sono già in pigiama, riesco a malapena a cambiare canale col telecomando, ho già il cervello in pausa, con un solo neurone in attività che fa da guardiano notturno per le emergenze, figurati se cambio qualcosa. Tanto meno il contratto della luce. Perché se uno è tranquillo, due chiacchiere riesce a farle, ma se ha un bebè sul fasciatoio che spara cacca come una betoniera, il figlio più grande che si infila la forchetta in un occhio per vedere se esce dalla sede, il marito che pedala sulla cyclette e, a mo' di campanello, ogni tanto tira un rutto, è facile che quella pacatezza insita nel DNA femminile venga un filo a mancare... Vuoi che modifichi il contratto? Perfetto. Telefonami tu, signor Iride, in persona, signor Paride e signor Gardenia. Chiamami tu. Facciamo pure alle nove, così la polenta fredda la mangiamo tutti e due.

La supposta miracolosa

Io stravedo per le donne delle pubblicità in tivù: la Chiabotto, che beve l'acqua ed elimina l'acqua, fa tanta plin plin; la Marcuzzi che mangia lo yogurt e fa tanta plon plon. Pensa se la Marcuzzi oltre al bifidus prendesse anche l'acqua della Chiabotto: un concerto di Capodanno. Plin plin, plon plon, plin plin, plon plon, dirige il maestro Vessicchio.

Vogliamo, poi, parlare di quella che cammina sul bagnasciuga di notte con le scarpe in mano e poi entra in un bar aperto sulla spiaggia dove balla il tango? Intanto, punto primo, dove minchia lo trovi un bar aperto a quell'ora? Saranno le 4 di notte. Sulla spiaggia per di più. Neanche a Rimini a Ferragosto. Con lei che entra e cosa fa? Non ordina il caffè, non chiede una gazzosa. NO. Vede uno, parte in tromba e balla il tango. Senza dire niente. Entra e balla il tango. Una decerebrata. Ma perché? Per mostrare la donna libera che fa quello che le passa per la testa? A 'sto punto, vorrei vedere anche quella che salta a piedi nudi in una merda di cane e poi, bella lercia, entra da Cartier, si mette a suonare il sax e la buttano fuori a bastonate!

E quella che si ostina ad andare a prendere l'aperitivo con uno scimmione? Ma sei scema? Esci con una scimmia e cosa ti aspetti? Che ti apra la portiera della macchina? È un gorilla, eh? Va già bene che beve dal bicchiere e non è in calore, se no ti gira al contrario e fa scempio di te, amore. Non dico di uscire con Vincent Cassel, ma tra lui e un gorilla, escludendo Fabio Fazio, c'è tutta una gamma! Non ti lamentare, poi, se, come minimo, ti arriva un ceffone che ti cappotta!

Il massimo dei massimi è quella che ha piccole perdite in ascensore. Che non si è capito se le ha sempre e solo lì. In ascensore. Dalle altre parti no. Arriva al quarto piano e fine, il Sahara nelle mutande. Sarà il su e giù che smuove? L'uomo, invece, no. L'uomo non perde. Lui le guarnizioni le ha sempre a tenuta. L'uomo in ascensore fa altro. Che non sto a denunciare. La nostra eroina non potrebbe abitare al pianterreno, così risolve il problema alla radice?

Infine, c'è l'immagine suprema della donna, quella incarnata dalla supposta Eva Q. L'avete visto lo spot? A me come essere umano di sesso femminile dà tanta soddisfazione. Trattasi di supposta effervescente per stitici. La supposta si chiama Eva. Eva Q. Che sottintende felicemente Eva...Q...are. Anche Caccabubble poteva andare bene, che sottintende che fai la cacca con le bollicine. Eva Q è praticamente una supposta gasata che tu metti in loco e fa l'effetto di una spruzzata di selz. Una Perrier per le chiappe. Fttt... Come dare da bere al derrière un sorso di champagne. Fa un po' l'effetto del bicchiere di Coca-Cola: lo bevi e ti stura. Qui è uguale. Come farsi un clistere di Chinotto freddo. Una specie di supposta spumante, che se la metti fa tanti di quei frizzi che è in grado di liberare pure una miniera di carbone.

Nello spot si vede una donna bionda, un tipo alla Eva Kant, vestita di bianco, con tutte le bolle intorno, che impersona la supposta che entra in casa di una povera disgraziata con la classica pancia gonfia, tra l'altro vestita di marrone, che non so se sia un caso...

Aperta parentesi. Negli spot, non so se avete notato, non c'è mai una donna che vada in bagno regolarmente. Noi siamo sempre stitiche. Voi uomini mai. Com'è? Voi siete oliati come un motore marino? Sfornate sempre in orari regolari? Il water, quando vi vede, vi stringe la mano? Le donne, invece, hanno tutte delle pance che sembrano pignatte.

Comunque, 'sta Eva Q entra in casa e fa: "Sono Q. Eva Q...". E poi: "I casi difficili sono sempre i miei". Potrei chiudere qui. Sarebbe già un bel finale.

A questo punto dello spot, attenzione attenzionissima, si vede un sedere. Sì. Un culo, in primo piano, un po' sfumato, fatto al computer, ma pur sempre un culo, che ti fa vedere il percorso della supposta dall'interno. Con tanto di bolle quando arriva a destinazione... Scusa... Noi non lo sappiamo dove va la supposta? Abbiamo bisogno della dimostrazione visiva? Una volta infilata lì, può scegliere forse altre strade? Cosa potrebbe mai succedere? Che torni indietro e dica: "No, lì dentro mi fa schifo, vado sotto l'ascella e faccio da deodorante"? Lo spot finisce con la supposta che scrive sul palmare: "Missione compiuta!", e la ex stitica che la saluta contenta prima di eruttare, suppongo, come un vulcano.

Crediti delle canzoni citate nel libro